ALMA

RODRIGO ALVAREZ

ALMA

O PASSADO E O FUTURO
DAQUILO QUE NOS
FAZ HUMANOS

AGIR

Direitos de edição da obra em língua portuguesa no Brasil adquiridos pela Agir, selo da
Editora Nova Fronteira Participações S.A. Todos os direitos reservados. Nenhuma
parte desta obra pode ser apropriada e estocada em sistema de banco de dados ou
processo similar, em qualquer forma ou meio, seja eletrônico, de fotocópia, gravação
etc., sem a permissão do detentor do copirraite.

Editora Nova Fronteira Participações S.A.
Rua Candelária, 60 — 7.º andar — Centro — 20091-020
Rio de Janeiro — RJ — Brasil
Tel.: (21) 3882-8200

Dados Internacionais de Catalogação na Publicação (CIP)
(Câmara Brasileira do Livro, SP, Brasil)

Alvarez, Rodrigo
  Alma: o passado e o futuro daquilo que nos faz
humanos / Rodrigo Alvarez. – 1. ed. – Rio de Janeiro:
Agir, 2021.
  224 p.

  ISBN 978-65-5837-062-8

  1. Ciências sociais. 2. Humanidade (Moral) –
Transformação 3. Inovação tecnológica. 4. Tecnologia.
I. Título.

21-66283   CDD-303.484

Índices para catálogo sistemático:

1. Inovação : Mudança social : Sociologia   303.484
Aline Graziele Benitez – Bibliotecária – CRB-1/3129

SUMÁRIO

"A alma livre é rara, mas você a reconhece quando a vê
— basicamente você se sente bem, muito bem,
quando está perto ou com uma delas."

CHARLES BUKOWSKI, escritor

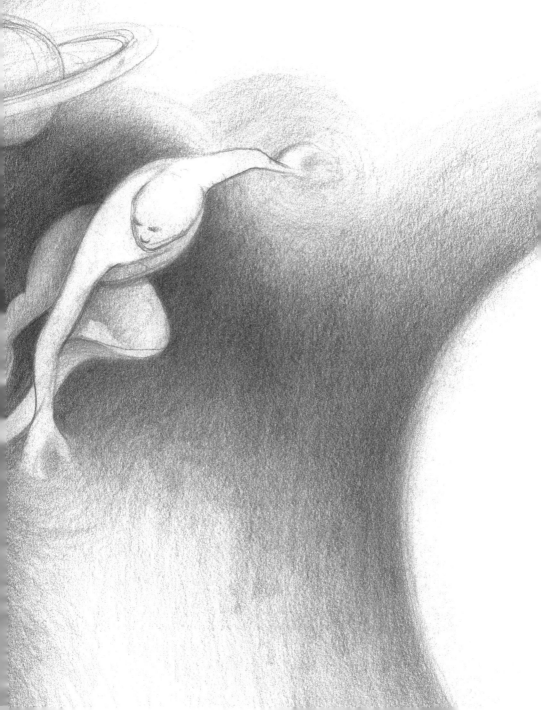

INSTRUÇÕES PARA A VIAGEM

EIS QUE LHE APARECEU NAS MÃOS ESTE LIVRO. E VEIO COM a proposta desafiadora de falar sobre algo que só diz respeito a você, algo que há muito tempo mexe com sua imaginação. O título provocativo e a imagem instigante na capa fizeram você achá-lo suficientemente interessante para abri-lo, e você está descobrindo que o escritor que outrora falou da história de Cristo, e escreveu também sobre a interessantíssima obsessão humana pela imortalidade, pretende lhe tirar o sono tratando de algo tão intrigante como o passado e o futuro da alma.

Sei bem como é...

Quando este dia começou você não fazia ideia de que tomaria esses rumos! E agora lhe apareceu a indecorosa proposta de largar tudo e sair da órbita terrena por um tempo indeterminado para viajar pelas profundezas da sua existência.

Mais que isso!

Dentro de poucas páginas, você vai conhecer algumas ideias fascinantes sobre o que pode acontecer com as almas humanas nos próximos anos, séculos ou milênios (pois é bem possível que você ainda esteja por aí).

Entendo...

Você ainda se pergunta por que deveria deixar de ler um novo romance daquela autora britânica, ou adiar o começo daquela série de tevê, deixar momentaneamente tudo o que lhe é conhecido para embarcar numa viagem que promete ser transformadora, mas nem sempre confortável.

Pois é.

A verdade, cara leitora, caro leitor... a verdade é que estou lhe propondo uma viagem sem destino certo e, provavelmente, sem volta. É para entender melhor aquilo que somos (e nem sabíamos) ou aquilo que pensamos que somos, e também para repensar um monte de coisas que pensamos e ouvimos ao longo da história humana. Enquanto isso, no entanto, se outro alguém lhe aparecer de maneira muito eloquente, com explicações incontestáveis sobre as minúcias da alma, ou da mente (pois essas ideias às vezes se confundem), se lhe prometer soluções incrivelmente fáceis ou disser que sabe o que será de você no dia em que seu corpo decidir descansar... vá tomar um cafezinho, um chá de camomila, talvez.

Mas...

Respire fundo.

E deixe que sua alma perceba por si só que está diante de *mais uma* tentativa de explicar um dos maiores mistérios do universo, só comparável à própria existência do espaço que nos abriga, e seu infinito tão magicamente incompreensível.

Ah, sim, falaremos sobre a busca pela eternidade. Falaremos sobre como as novas tecnologias podem alterar nossa existência. Sobre a certeza de que nossa mente se conectará com as máquinas. Os planos para encarnar em androides (quando você poderá deixar de ser você). Transmissão de pensamento. Fantasmas. Transplantes de cérebro. Múmias. Corpos artificiais. Espíritos. Implantes. E também sobre como uma nova geração de profetas pretende conquistar nossas consciências. Falaremos sobre o tempo em que nossas almas tinham asas e voavam com os deuses, sobre a expectativa por um encontro divino, sobre a tentativa de criar seres inteligentes a partir de barro, matéria humana ou, mais recentemente, com circuitos eletrônicos tão pequenos que quase não os podemos ver.

Budas elétricos...

Cérebros sintéticos...

E também robôs superiores a nós.

São todos bem-vindos neste livro-nave.

Pois, ainda que a ficção tenha levado nossa imaginação aos céus, desde que um dos nossos antepassados enterrou pela primeira vez uma pessoa morta, preocupado com sua vida após a morte... desde então, até mesmo as explicações mais espirituais e profundas sobre a alma são inconclusivas.

E mesmo a existência de uma alma como entidade independente e autônoma (sem qualquer compromisso com o corpo que a carrega) é uma questão cada vez mais debatida, objeto de inúmeros experimentos científicos e discussões filosóficas. Pois a dúvida é a origem do conhecimento, e faz alguns séculos que uma parte respeitável dos homens e das mulheres que produzem ciência vem afirmando que nossa existência é apenas, ou necessariamente, matéria. Mais que isso: tem quem diga que só fazemos sentido enquanto estamos vestindo este corpo. E isso não quer dizer que você não tenha uma alma.

É aí que surge outro ponto que você vai perceber ao longo da nossa jornada: dependendo do contexto, será mais adequado usarmos palavras como *essência, espírito, consciência, mente* e algumas outras que eventualmente surgirem como candidatas para definir aquilo que há muito tempo os filósofos resolveram chamar de *alma*, do grego *anima*: aquilo que se movimenta dentro de nós, e nos dá movimento.

Para que nossa compreensão seja a mais ampla possível, transitaremos despudoradamente por muitas formas de conhecimento: da filosofia à neurociência, da arqueologia à psicologia, da religião à biogenética.

Portanto, prepare seu espírito!

Ilumine bem estas páginas...

E, se possível, acenda também as luzes mais bonitas da sua alma, pois a nossa viagem promete ser feita de mistérios, encantos e espantos.

É recomendável que você, leitora ou leitor, tire os sapatos e encontre uma posição confortável na poltrona, que não perturbe o fluxo instintivo em seu intestino e permita também um acesso facilitado ao repositório de memórias que está em seu coração. Não deixe que algo, especialmente o celular impaciente, atrapalhe sua alma enquanto ela reflete sobre sua própria existência.

Nossa jornada à *Alma* está quase começando. E se você quiser torná-la ainda mais profunda, instigante, recompensadora, contagiante, divertida e enriquecedora, tomo a liberdade de sugerir que abra sua mente. Ainda não estou sugerindo uma cirurgia de implante de chip, não é isso: proponho uma abertura craniana apenas no campo das ideias, para que você possa voar ainda mais leve por esse universo desconhecido. Prepare-se, pois seus olhos verão muitas luzes intensas que poderão clarear sua compreensão ou ofuscar sua visão e, de um jeito ou de outro, fazer com que você reconsidere alguns pensamentos antigos. Você poderá... ou, melhor dizendo, todos nós poderemos fazer pequenas mudanças de trajeto, revisitando o passado para que faça mais sentido voltar ao futuro.

Seja muito bem-vinda se você estiver num corpo feminino, seja muito bem-vindo se a forma com que você se apresenta a este mundo for um corpo masculino, o importante é que sua alma agora está pronta para conhecer sua história e seu próprio futuro.

USAREMOS CARTÕES SEM CONTATO PARA ALUGAR CORPOS NOVOS?

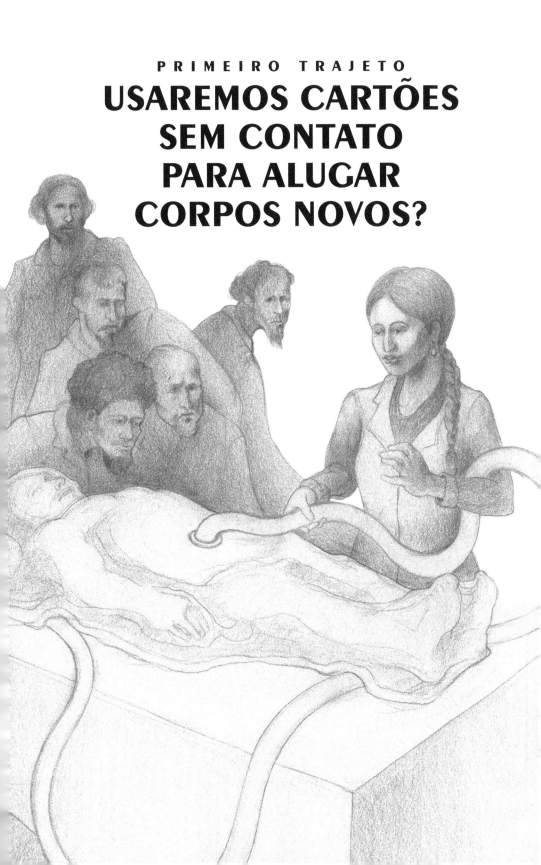

Capítulo 1

ALMAS SEM CORPO
PELAS GALÁXIAS

VAMOS AJUSTAR O PAINEL DE NAVEGAÇÃO PARA 2221. Ou talvez seja melhor pararmos um pouco antes, em 2098? Ah, sim, vamos primeiro conhecer o dia em que nossas almas viajarão livremente pela imensidão do Universo!

Decolamos.

Pois é, não dá mais para voltar.

E me pergunto se, quando chegarmos a esse tempo distante, ainda chamaremos nossa essência de *alma*... O que você acha? Optaremos por falar apenas em *mente, consciência*? Ou será que, um dia, nossa essência vai se chamar alguma coisa estranha como... *i-Soul*?

Saímos da atmosfera e atravessamos algumas estrelas.

Alguns planetas ficaram para trás.

O que já podemos antever é que a primeira vez que uma alma humana livre de corpo viajar pelo espaço será um momento tão decisivo na história que, por si só, marcará o fim da humanidade como a conhecemos. O ser humano terá deixado de pertencer à família dos hominídeos. Melhor dizendo: se isso um dia acontecer, não seremos mais primatas nem *sapiens*. Assim se iniciará um novo tempo em que, ainda que vez por outra estejamos *vestindo* alguma forma de corpo, seremos apenas *informação*.

Será que podemos elaborar de maneira mais filosófica e entender que nesse momento sonhado seremos, finalmente... *espíritos*?

Ou possivelmente... *pura essência*?

Uma antiga sabedoria oriental ensina que quando uma pessoa rompe com aquilo que a amarra, desde que rompa realmente com tudo de que necessita e tudo o que deseja, "o mundo inteiro torna-se seu".

E isso talvez nos leve a pensar como *desnecessário* o corpo que deixamos para trás – adormecido numa cápsula de conservação, morto ou, até mesmo, vitrificado num tanque de nitrogênio –, pois tornou-se uma relíquia antropológica ou, ao menos, um recurso secundário de nossa existência.

Nossa presença não será nem sólida nem líquida nem gasosa.

Será, portanto, etérea... parte do infinito!

A *completude*?

Estaremos, sem dúvida, mais conscientes da nossa qualidade de nada... ou quase nada. Existências minúsculas num universo que, sendo *o todo*, materializa-se até mesmo na beleza da flor do campo que levamos para sempre em nossas lembranças.

Mas como serão nossas vidas?

Enquanto vagarmos pelas galáxias, nos apaixonaremos por outras essências? Faremos sexo telepático com consciências viajantes? Seremos capazes de procriar? Desejaremos isso? Criaremos sociedades de almas digitais?

É ainda arriscado dizer *se* essa digitalização da alma (ou da mente) será em algum momento possível e, mais ainda, *quando* poderá ser esse dia em que nossas essências criarão tecnologia assim avançada para desconectarem-se das peles que habitam.

2071 parece muito cedo?

Talvez...

Mas, por ser uma ideia tão encantadora, sedutora e ao mesmo tempo tão coerente com aquilo que há tanto tempo pensamos, vem sendo concebida em muitos cérebros deste planeta, que, apesar dos nossos avanços em Marte, ainda é o único que temos.

E alguns cientistas são tão otimistas que estimam que as coisas se darão mesmo antes do fim deste século, ou no começo do próximo, mas de qualquer maneira num futuro muito anterior àquele previsto pelo escritor Isaac Asimov.

Ainda nos anos 1950, o gênio da ficção científica imaginou que, *milhões* de anos além do nosso tempo, energias originárias de seres humanos (suas mentes) vagariam pelo Universo explorando galáxias desconhecidas, enquanto seus corpos imortais ficariam nos planetas de origem, muito bem guardados em centros robóticos como se estivessem em animação suspensa num hospital futurista.

Num certo momento do conto *A Última Pergunta*, na ficção de Asimov, a mente de Zee Prime encontra-se com a mente de Dee Sub Wun e essas duas formas abstratas de existência se questionam sobre as origens da humanidade. Ao consultarem um grande computador que armazena todo o conhecimento do universo, Zee e Dee descobrem que a "estrela" original dos seres humanos se extinguiu e que se construiu um novo mundo para que "seus corpos físicos" possam ser guardados em segurança. A *atividade material*, ou seja, a atividade humana com corpos, praticamente se extinguiu.

Um futuro como o que foi concedido às almas galácticas de Zee e Dee, esse tempo em que imaginamos que será possível viajar de um planeta a outro na velocidade da luz, ainda é uma hipótese. Não há nenhuma garantia de que realmente aconteça, mas muitas de nossas mentes mais brilhantes já estão se preparando para isso.

Estão em curso pesquisas que tentam decodificar nosso cérebro para, entre outros objetivos, poder um dia transformar aquilo que chamamos de alma em dados digitais e, depois, converter esses dados em feixes de luz. Tendo em mente esse futuro e a velocidade com que as tecnologias avançam agora, será muito ousado dizer que estamos mais próximos de Zee e Dee do que de Buda e Jesus?

O que cientistas conseguem fazer atualmente para decodificar nossa essência ainda é só o princípio: estão estudando o comportamento das redes neurais, mapeando os axônios, que são como fios que conectam os neurônios, e também estão fatiando cérebros, por enquanto só de animais menores, como ratos e insetos. Eles querem decodificar cada um dos átomos que circulam dentro das caixas cranianas de outros seres para que um dia seja possível fazer o mesmo com o cérebro humano. É um processo parecido ao que foi feito com a decodificação do nosso DNA, mas agora, em vez de *genoma*, o que se quer produzir é um *conectoma*.

Conhecer cada fiozinho e cada conexão interior do nosso cérebro para sermos capazes de consertá-lo, curando doenças mentais, é também o que poderá nos permitir um dia recriá-lo em laboratório.

Pelas estimativas mais modestas, será necessário 1 petabyte para armazenar tudo o que temos em nossas cabeças.[1] Aproximadamente, este número:

1.000.000.000.000.000 *bytes*

É uma quantidade de dados tão grande que o maior supercomputador existente no mundo só seria capaz de armazenar 200 e poucos cérebros digitalizados (e estamos falando de um conjunto de máquinas que ocupa uma área maior que uma quadra de basquete).[2]

Mas, numa demonstração de como tudo isso ainda é desconhecido e impreciso, as estimativas sobre quanto um cérebro humano totalmente digitalizado irá exigir levam outros pesquisadores ao extraordinário número de 1 zettabyte, ou seja, o equivalente à metade de todas as informações disponíveis em todos os computadores que em 2020 estavam conectados à internet.[3]

Um zettabyte é uma quantidade de dados que cabe, aproximadamente, neste número:

1.000.000.000.000.000.000.000 bytes

Para armazenar um zettabyte com a tecnologia atual seria preciso criar uma central de computadores que ocuparia, de maneira aproximada, o espaço de 1.000 supermercados.

E isso tudo… para um único cérebro humano.

Em mais uma prova de como nosso cérebro ainda é desconhecido, há outro cálculo que mostra que seria preciso um número de bytes infinitamente maior, a tal ponto de nem sequer existir um nome para a medida que precisaríamos criar. Enfim, eis o número (quase infinito):

100.000.000.000.000.000.000.000.000.000.000.000 bytes

Apenas para efeito de comparação, o terabyte – medida razoável para um celular ou computador pessoal contemporâneo – é da ordem de grandeza deste outro número (ainda assim imenso):

1.000.000.000.000 bytes

Assim como nossos computadores pessoais diminuíram e se tornaram ultrapoderosos nos últimos anos, parece acertado pensar que veremos avanços ainda inimagináveis quanto à capacidade de armazenamento de celulares e computadores já nos próximos anos.

Quando resolvermos essa e outras questões tecnológicas, alguns cientistas acreditam que serão capazes de fazer a duplicata digital do nosso cérebro para que possamos habitar outros corpos. E poderão ser corpos artificiais ou biológicos, criados a partir de clonagem (algo que ainda não se fez com humanos). Possivelmente serão gestados em úteros de plástico, como aconteceu em 2017, quando cientistas do instituto de pesquisa do Children's Hospital da Filadélfia desenvolveram o feto de um cordeiro nascido prematuramente, conseguindo mantê-lo em crescimento dentro de um útero artificial que não era nada além de era um saco plástico com água morna e sais, simulando o líquido amniótico de uma placenta.[4]

A evolução do útero artificial poderá nos levar um dia a ver bebês humanos nascidos por clonagem sendo germinados exatamente como aconteceu ao bebê-cordeiro, na sala do que um dia chamaremos, talvez, de... *Centro de Produção de Vestimentas de Espíritos.*

Pode ser que o termo popular para os corpos, ou para aquilo que materializa nossa essência, seja simplesmente *hospedeiros de almas.* Ou será que nosso corpo criado em laboratório se chamará *roupa para digi-neuros*? É possível que o coloquialismo popular prefira simplesmente *envelope*, termo que surgiu na origem do espiritismo, ou *embalagem*, como imaginou uma série de tevê em 2018.

Em *Altered Carbon*, a consciência humana é digitalizada e armazenada em *pilhas corticais* que se conectam às medulas de corpos fabricados em laboratórios para que os humanos do ano 2384 possam ter novas vidas, ou apenas novos corpos, para dar seguimento às suas existências anteriores.

É possível imaginar também que nossas pilhas corticais, os mini-discos de computador que armazenarão nossas mentes, serão instalados em corpos em que será impossível distinguir o que é resultado de clonagem humana e o que é produzido em laboratórios robóticos, como os *replicantes* do filme *Blade Runner*. Tais corpos nos servirão apenas para permitir sensações *ultrapassadas*, coisas como tocar uma pessoa, sentir um perfume, fazer sexo fisicamente, degustar uma trufa, ter orgasmos, sentir o vento batendo no rosto, ou pisar, de maneira concreta, física, o solo de um novo planeta.

É possível que, assim como trocamos de sapatos, troquemos de corpo. Mas... realmente?

No ritmo em que a tecnologia evolui, podemos imaginar que nossas essências serão um dia armazenadas em singelos microchips, como os *sim cards* dos celulares. Mas podemos pensar que, antes disso, ainda antes que as tecnologias de armazenamento evoluam a ponto de guardar 1 petabyte num cartãozinho minúsculo, usaremos raios laser para transmitir nossa imensa *alma digital* da Terra para Marte, onde haverá uma colônia humana já bem desenvolvida, e lá, alugando um corpo como quem aluga um carro num aeroporto, nossa alma irá viver por alguns dias, semanas ou meses.

Quem sabe?

Se fizermos *leasing* de um corpo bacana, pode ser, sim.

Poderemos ficar algumas décadas por lá.

Quer dizer… o tempo deixará de ser uma questão para nós.

A ideia de viajarmos em raios laser vem da soma de diversas tecnologias e teorias que estão atualmente em desenvolvimento, mas, certamente, ainda em estágios que não nos permitem afirmar se um dia nos levarão a realizar essas viagens. Sustenta-se, principalmente, no fato conhecido de que a onda do raio laser é tão pequena, mas tão pequena, que podemos comprimir uma imensidão de informações e enviar tudo de carona num laser para um lugar distante.

Acreditando nessa possibilidade, podemos pensar que viajaremos a lugares até mesmo mais distantes que Marte, pois ao transferir nossas almas para os raios laser, ficaremos congelados no tempo, sem saber se a viagem durou 1 dia ou 1.000 anos-luz. E, ao desembarcar noutro mundo, precisaremos ter certeza de que haverá um decodificador previamente instalado para transformar a energia novamente em alma (mente, consciência… escolha o termo, pois eles muitas vezes se confundem), e precisaremos também que os tais corpos de aluguel, ou corpos novos que iremos comprar numa boutique, estejam à nossa espera para possibilitar a magnífica experiência.

Isso… bem, isso se ainda quisermos continuar sentindo as coisas fisicamente. Pois, se formos como Zee e Dee, estaremos contentes por sermos formas abstratas de existência, sem que sejamos do sexo feminino ou masculino, sem que seja necessário um corpo, experimentando a existência no que talvez seja sua forma plena, como puras consciências que vagam livres pelo espaço.

Capítulo 2

MEU CORPO DIANTE DE MIM

ANTES DE DECIDIR SE CRUZAVA OU NÃO AQUELA PONTE, antes que uma mão branca lhe fizesse decidir voltar, Ana Célia Silva foi considerada morta. A realidade é que já chegou ao hospital quase morta. Só nas primeiras horas, recebeu mais de vinte litros de sangue. A bala havia destruído seu fígado e uma série de outras vísceras. "Era sangue entrando, e sangue saindo sem parar", ela me contou depois.

Foi o filho de 4 anos quem disparou por acaso o tiro que atravessou a barriga e passou a apenas um milímetro da medula da mãe. O menino estava brincando com a arma do pai policial, com quem Ana Célia andava às turras. Perdendo completamente o sentido de realidade, pensando que fosse um raio que tivesse despencado do céu, a mãe ainda sorriu para o menino com a arma na mão.

No terceiro dia de internação, depois de uma nova cirurgia, Ana Célia recebeu uma injeção de medicamento no coração. Sentiu a cabeça perder forças e tombar no travesseiro.

"Meu Deus, eu tô morrendo", ela se lembra de ter pensado, sentindo que talvez a ideia de morrer não fosse assim tão ruim. "Quero morrer!"

A dormência que começou nos pés foi subindo, até que Ana Célia sentiu algo como um sopro na altura do peito.

"Era meu espírito!"

Enquanto isso, a médica que a acompanhava decretou morte cerebral e deu ordens à enfermeira para esperar só mais alguns minutos antes de desligar os aparelhos, pois logo o coração de Ana Célia iria parar de bater. Chegaram a avisar os parentes e ficaram todos aos prantos na sala de espera do hospital.

Mas o que aconteceu naqueles poucos instantes foi inimaginável.

Sem nunca deixar de ouvir o que acontecia à sua volta, entendendo claramente que já tinha sido declarada morta, Ana Célia se viu num lugar que recorda como "muito bonito", um extenso gramado, sem flores, sem qualquer outra coisa além de uma ponte. Do outro lado, seu falecido pai estava vestido de branco e esperava por ela de braços abertos.

No momento em que ia cruzar a ponte, Ana Célia viu uma mão, "uma mão enorme" que apareceu à sua frente como se estivesse ali apenas para bloquear sua passagem. Uma voz lhe falou:

– Ana Célia, você quer atravessar a ponte e abraçar seu pai? Ou você quer voltar e abraçar seus filhos?

Com as pupilas dilatadas, a pele pálida e o coração parado, Ana Célia ainda percebeu quando uma enfermeira veio tirar o tubo que a mantinha respirando artificialmente. Nesse instante, se mexeu na cama. Lágrimas começaram a escorrer dos seus olhos. Fez-se um rio. E, de repente, a mulher que tinha sido declarada morta abriu os olhos e começou a falar.

Lembrou-se de tudo o que havia vivido, e guardou uma impressão maravilhosa, de um lugar em que sentiu uma paz imensurável e viu muitas luzes, "umas luzes azuis, amarelas e brancas".

Em 2020, logo no começo da pandemia de coronavírus, o cardiologista Aleksander Dobrianskyj caiu prostrado, à beira da morte. O doutor Dobrianskyj tem uma longa história na Medicina e foi um dos primeiros a realizarem cirurgias de transplantes de coração no Brasil. Mas, nesse dia, virou paciente. Descobriu que seus pulmões estavam quase completamente comprometidos pela Covid e foi transferido às pressas para a Unidade de Terapia Intensiva.

Em coma induzido e sob efeito de medicamentos fortes, o doutor Dobrianskyj teve duas experiências em que se sentiu morto. Na primeira, sentiu que estava flutuando e descendo na direção de um vulcão, até que tudo se apagou. Seu quadro clínico piorou naquele dia. Mas foi a segunda experiência que o marcou, principalmente porque estava o tempo todo consciente. O médico viu um caixão com a imagem de seu falecido pai. Ao se aproximar para ver o corpo, levou um susto. "Era eu que estava no caixão, com as mãos cruzadas", o doutor Dobrianskyj me contou.

Apesar de ser neto de um padre cristão ortodoxo, o médico brasileiro de origem ucraniana sempre se considerou ateu. Mas, ali, entre a vida e a morte, vendo o próprio corpo morto, tentou se comunicar com algo, "alguma entidade" que tivesse poder de prolongar sua existência. Depois desse momento transformador, começou a se recuperar.

Alguns anos antes, no dia em que ficou desempregado, o caldeireiro Daniel Gomes Brito bateu com a moto e foi parar debaixo do motor de um caminhão. No meio das ferragens, viu a morte chegando e começou a rezar. Ainda conseguiu gritar por ajuda. Mas, logo em seguida, tudo clareou. Melhor dizendo, uma luz tomou conta da mente de Daniel.

O caldeireiro enxergou o vulto branco de uma mulher, e viu essa mulher usar suas mãos brancas para tirar sua alma de baixo do caminhão. Teve a sensação de ficar de pé e viu o próprio corpo a distância, esmagado debaixo do caminhão. Pensou que estivesse a caminho do céu, levado pela mulher de mãos brancas. Mas, de repente, voltou a ouvir sons… um grande tumulto, aliás. Era a multidão de curiosos que tinha se juntado para ver o motoqueiro que parecia morto. [5]

A experiência de quase-morte é também chamada de *projeção da consciência* ou *emancipação da alma*. Incontáveis espiritualistas e religiosos entendem que é a prova irrefutável da existência de algo etéreo que concentra a essência da nossa existência e que, como o caso de Daniel parece mostrar, é capaz de sair do corpo e continuar consciente.

Enquanto estava fora do corpo, o caldeireiro ouvia a voz de seu avô, como se o espírito do velho homem fosse uma espécie de anjo que tivesse descido para buscar o neto. Daniel é religioso e acredita que vivenciou um milagre.

Sua existência esteve por um fio.

O que foi isso, afinal?

Muita gente diz que é alucinação, delírio ou fantasia. E quem experimentou substâncias alucinógenas, como a ayahuasca dos rituais do Santo Daime ou a psilocibina dos cogumelos mágicos, relata sensações parecidas.

Para o espiritismo, assim como para outras religiões, essas experiências são absolutamente profundas, pois revelam às almas dos vivos um pouco do mundo dos espíritos, aquilo que estaria à espera de todos nós.

Em diversas partes do mundo, médicos investigam os relatos mais fascinantes de seus pacientes tentando entender do ponto de vista científico o que exatamente acontece quando eles contam ter visto o próprio corpo morto e atravessando um túnel escuro para viver, ainda que por alguns instantes, uma vida depois da morte. E sempre aparece um parente ou outro ser iluminado para viajar pelo universo com o espírito que se sente desencarnado.

Num relato semelhante, publicado pelo médico Sam Parnia num livro com o sugestivo título *Apagando a Morte*, uma paciente mulher disse que o auge de sua experiência foi também o momento em que era considerada clinicamente morta, quando se encontrou com um ser iluminado.[6]

"De repente me vi ao lado da cama olhando para um cordão que me conectava ao corpo."

Exatamente como aconteceu com Ana Célia, Aleksander e Daniel, a primeira impressão da mulher foi a de que estava indo para uma outra dimensão.

Mas havia alguém a seu lado.

"Fui levada a me sentir segura e confiar no meu companheiro, que sugeriu que o cordão era insignificante e que eu não devia me preocupar."

A paciente sentiu-se num espaço vazio, algo que definiu como *um vácuo*, e disse que ali era capaz de voar. Terá sido em experiências assim que Platão se baseou para construir sua filosofia das almas imortais? Será por isso que o filósofo descreveu a vida após a morte como uma viagem pelo universo ao lado dos deuses?

A paciente contou que se encontrou com "outros seres de luz" que a encorajaram a fazer uma revisão de sua vida.

Uma autojulgamento.

Purgatório de si mesma!

"Fui encorajada a entender como os meus erros haviam machucado os outros enquanto eu experimentava o que os outros tinham sentido como resultado das minhas ações."

Estava mesmo numa espécie de limbo espiritual? Seria possível que a paciente estivesse influenciada pela antiga crença no Juízo Final?

No purgatório, conforme ensinado pelos primeiros teóricos cristãos, não era a pessoa que julgava a si mesma. Mas a ideia toda era muito parecida. Os cristãos gnósticos, aliás, escreveram pergaminhos em que o próprio Jesus é apresentado como um ser feito apenas de luz. Num deles, *Sabedoria da Fé*, anos depois de sua morte, quando Jesus conversa com os apóstolos, tem a capacidade de subir e descer do céu, e vai "brilhando imensamente numa luz imensurável".[7]

O motivo para que a paciente do doutor Sam Parnia estivesse à beira da morte era uma hemorragia interna que lhe veio durante uma gravidez. E nesse lugar que agora se parecia com a ideia religiosa de céu, ou paraíso, foi informada que o espírito da criança que iria nascer desistiu de encarnar no feto que trazia na barriga. Ela contou que o tal espírito havia experimentado uma vida traumática anteriormente, e que não se sentia capaz de enfrentar a vida mais uma vez.

Após esse encontro, ela foi levada à presença de quem chamou de "o grande Deus". Relatou ter se comunicado com ele sem pronunciar uma única palavra.

"Pensamentos bastavam."

Em seguida, a paciente contou que recebeu de Deus uma permissão para voltar ao corpo. Parece apenas uma coincidência que Ana Célia, a outra paciente, tenha visto uma mão imensa que lhe fez recuar de seu plano de atravessar a ponte que a levaria ao mundo dos mortos. "Era Deus", ela me contou algum tempo depois.

O caso do humorista que ficou famoso como Seu Waldemar também impressiona. Em 2020, ele contraiu o coronavírus e foi internado de emergência. Começou a ter apagões.

"O cérebro entrou em estado de desligamento... Desligou e ficou cuidando do resto do corpo."

Waldemar Neto é religioso e entende que há uma separação entre as funções do corpo e as minúcias da alma. Intubado na UTI, começou a ter o que chamou de "sonhos". É possível que fosse mais que isso, pois o relato do humorista é em tudo semelhante ao das pessoas que têm as chamadas experiências fora do corpo.

Sentiu sua alma vagando pelo hospital.

"Eu escutava o barulho do hospital e minha alma já tinha despregado do corpo. Me via lá em cima, como se estivesse na laje do hospital."

Foi uma grande confusão mental.

Seu Waldemar não sabia se aquilo era um sonho.

Se estava morto ou vivo.

Consequência dos medicamentos?

Delírio?

Ou seu espírito estava mesmo vagando por outras dimensões... por outras salas daquele hospital de Goiânia?

Curou-se da Covid, mas veio uma encefalite.

Terrível infecção bacteriana!

Novamente, uma experiência incomum:

Seu Waldemar viu o espírito do médium Chico Xavier.

Depois, lhe apareceu Jesus.

Ao lado dele, sua mãe, Maria, e algumas freiras.

Pareceu-lhe estranho que cuidassem de uma árvore, um único pinheiro.

Até que Jesus começou a falar.

– O trabalho que você fez na Terra foi muito bom.... vem trabalhar comigo.

Waldemar sentia sede e pensava que quando aquele encontro terminasse beberia litros e litros de água.

– Mas... Jesus, você é uma pessoa tão evoluída e está cuidando só de um pinheirinho?

Foi quando Jesus lhe disse para levantar e ver o que havia no vale.

Uma imensa floresta de pinheiros!

– Quem você acha que cuida do pomar? – foram as palavras do Jesus que lhe apareceu.

Nesse instante, Waldemar percebeu que estava voltando, tendo cada vez mais a sensação de pertencer a um "corpo físico". Até que despertou do coma induzido.

A experiência transformadora fez o humorista rever sua compreensão do que é o universo em que vive.

"Parece que a realidade não é aqui… a realidade realmente é lá. Quando você encontra com Cristo, mesmo que seja fantasioso… a sensação que tinha era que o mundo, além de ser muito material… a gente tem apego a coisas que realmente não são de valor."

Mais tarde, o humorista ficou sabendo que os médicos chegaram a considerá-lo morto. E, como costuma acontecer, foi naqueles instantes que teve a experiência fora do corpo, ao lado de Chico Xavier, Maria e Jesus.

Quanto das crenças religiosas em vida após a morte poderá ter vindo de relatos feitos por quem quase morreu e voltou para contar?

Antes não havia método científico, mas é muito possível que nossos antepassados tenham tido exatamente o mesmo tipo de experiência relatado por milhares e milhares de pessoas conforme documentação científica que mostra um mesmo padrão, apenas com algumas variantes:

No momento em que o corpo parece morto…

A pessoa vê tudo ficar escuro.

Sente como se estivesse noutro lugar.

Vê uma luz e vai em direção à luz.

É recebida por um parente ou por outros seres feitos de luz.

Vê luzes, que podem ser de muitas cores.

Não sente dor alguma, pelo contrário…

A sensação é de paz, alegria e felicidade.

Como frequentemente acontece, a pessoa, ou seu espírito, sai do corpo e passa a ver o mundo como se fosse uma entidade separada. Tem uma visão completa do lugar onde estava, revê momentos importantes da vida como se aquela fosse de fato a hora de julgar suas atitudes e, por fim, quando volta ao corpo, torna-se uma pessoa muito melhor, mais preocupada com o bem dos outros, valorizando acima de tudo o amor.

Quanto disso estava nos ensinamentos de Jesus Cristo?

Não por acaso, entre inúmeras versões que envolvem o mistério de sua Ressurreição (muitas delas, bizarras), surgiu uma para afirmar que, ao ser crucificado, Jesus teve uma experiência de quase-morte, voltou a viver e, tocado pela experiência, passou a pregar o amor incondicional. Segundo a tese do britânico Roger B. Cook, teria sido também por isso que Jesus teve tanta propriedade e falou de forma verdadeira ao contar a seus seguidores como seria a vida depois da morte, no lugar que ele chamava de Reino de Deus.[8]

"A ascensão à companhia das pessoas amadas na presença de uma grande luz branca torna-se a parte central, final e conclusiva da experiência de quase-morte, assim como entendo que aconteceu com Jesus", foi a conclusão do doutor Cook.[9]

Sem pretender aqui chegar a nenhuma conclusão reveladora sobre Jesus Cristo, tomamos nota e seguimos em nossa viagem rumo ao futuro. Pois é muito intrigante que durante as experiências de projeção de consciência o *eu* da pessoa não fique jamais dentro do corpo.

A impressão que se tem é de que a alma é *de fato* algo separado, que não pertence à matéria perecível que, na maioria dos casos, está imóvel no chão ou na cama, levando as pessoas em volta a pensarem que acabou de morrer.

Mas por que a ciência não confirma a ideia que vem desde os filósofos gregos de que nossa essência é como uma ostra presa em sua concha?

A ciência é materialista demais?

Está errada?

Ou foi Platão que errou?

Médicos tendem a associar a sensação de que o espírito deixou o corpo com a redução da quantidade de sangue no cérebro.

Lembro-me de um tio que, muito jovem, depois de fumar incontáveis cigarros, e depois de pular muito no carnaval de Olinda, sofreu uma parada cardiorrespiratória e foi levado praticamente morto para um hospital. Hugo sempre contava que tinha saído do corpo e visto "um filminho da vida" em sua mente.

As memórias vinham, como ele relembra, "aos borbotões".

Eram jatos extremamente rápidos que lhe traziam lembranças perdidas de amores, e de alguns desamores... e do dia em que enterrou sua avó, quando era um menino de apenas 3 anos no Rio Grande do Sul.

"Eu via uma luz no fim do túnel escuro, e essa luz se intensificava, e variava em tons coloridos nunca imaginados por mim."

Foi para ele uma experiência transformadora (ainda que não o suficiente para fazê-lo parar de fumar).

Terá sido só um processo químico no cérebro do meu tio?

Foram os remédios, como chegou a cogitar o cardiologista Dobrianskyj ao relatar sua própria experiência?

O físico Michio Kaku afirma que a ideia de que temos alguma coisa, como uma alma, separada do corpo é "uma das mais antigas de nossas superstições".[10]

Dura afirmação para os espiritualistas.

O materialismo convicto do professor Kaku tem em sua raiz o mesmo materialismo que vem se desenvolvendo desde que alguns filósofos gregos discordaram de Platão, ainda antes do nascimento de Jesus Cristo, e com muito mais força depois que o Renascimento libertou as mentes humanas para novas compreensões sobre nossa natureza.

E é verdade que ao longo da história todas as sociedades produziram lendas sobre fantasmas e demônios que podem entrar e sair de um corpo conforme suas vontades.

Mas, se toda sociedade humana cria uma lenda assim...

Será por acaso?

Ou somos loucos à procura de fantasmas que nos possuam?

Depois de já ocupar o cargo de juiz, o espírita e conhecido palestrante brasileiro Haroldo Dutra Dias resolveu estudar também Neurociência. Quando perguntei a ele o que, na visão do espiritismo, comprova que as comunicações espíritas são realmente contatos com pessoas mortas e não acontecimentos restritos ao nosso cérebro, Haroldo respondeu com aquilo que a própria experiência lhe ensinou.

"Os fenômenos que eu presenciei, e que estão relatados por Kardec lá no início, não podem ser explicados por bomba de sódio e potássio no neurônio, [nem por] disparo de impulso elétrico pelo neurônio."

Dutra disse que não tem nenhuma dúvida de que "a consciência sobrevive ao corpo", e que "essa história de sinapse neural não explica a experiência de quase-morte". Ele está certo de que, um dia, "a Neurociência vai chegar ao espírito".

Capítulo 3

GUIA PARA ENCARNAR EM ANDROIDES

E SE EU DISSER QUE SEU CÉREBRO ESTÁ ILUDIDO? Se disser que basta um truque de mágica para você mudar de opinião sobre sua própria existência? Que seu cérebro está o tempo todo usando aquilo que você vê, ouve, toca, sente... para *criar* a ideia de que você existe?

Não, não estou dizendo que você não existe!

Mas...

Talvez você possa, sim...

Se convencer de que não passa de uma ilusão!

Parece absurdo?

Sei disso.

E ainda por cima pensar que, se algum desses sentidos falhar, ou for enganado, você pode ser levado a ter certeza de que se tornou uma outra pessoa!

Num artigo científico com o sugestivo título de "Se eu fosse você", Henrik Ehrsson, neurocientista do Instituto Karolinska, na Suécia, revelou os truques de ilusionismo que usa para fazer os voluntários de seus experimentos acreditarem que estão flutuando acima de seus corpos. Já chegou a convencer pessoas de que elas tinham trocado de corpo ou que tinham um terceiro braço. E mais ainda: que estavam no corpo de uma boneca Barbie, vendo tudo em tamanho gigante no mundo ao redor.

"Isso remete diretamente à clássica questão da relação entre a consciência humana e seu corpo, que foi discutida por filósofos, psicólogos e teólogos por séculos."[11]

O objetivo da pesquisa do doutor Ehrsson é entender como uma pessoa experimenta a ideia de seu próprio *eu*.

Afinal de contas...

Este livro é ou não sobre o *eu* que existe em *você*?

Calma.

Não o atire contra a parede!

A sensação de que seu cérebro pode ser enganado vai se tornar ainda mais angustiante nas próximas linhas.

Se você ainda tem certeza de que sua mão é que está agora segurando *Alma*, ou o aparelho digital que você usa para a leitura, entenda que é o seu cérebro que está, neste exato instante, calculando a posição de sua mão e do livro para ter certeza de que vai agir no lugar certo. Ah, sim, lá no começo eu disse para você tirar os sapatos... então é melhor você agora avisar ao seu cérebro que seus pés, mesmo dormentes, ainda são seus!

O doutor Ehrsson usa câmeras, visores e pedaços falsos de corpos para enganar os cérebros de seus voluntários e convencê-los de que eles deixaram os corpos. É exatamente como num truque de mágica, mas é ciência. Quando são enganados pela imagem que lhes é mostrada no visor, quatro em cada cinco voluntários sentem exatamente o mesmo que as pessoas que tiveram experiências de quase-morte: saem do corpo. Ou até entram em outros corpos. E quando o cientista (doido, ele sabe) aponta uma faca para o corpo imaginário, a pessoa se apavora e começa realmente a suar.

Ao avaliar essas experiências científicas, o filósofo alemão Thomas Metzinger concluiu que "o trabalho de Henrik dialoga diretamente com a ideia de que não existe uma coisa chamada alma ou um eu que é independente do cérebro".

Não é por acaso que o doutor Henrik Ehrsson recebe cartas raivosas de pessoas que viveram experiências fora do corpo.

"Elas acreditam que suas almas saíram de seus corpos, e se sentem ameaçadas ao saber que uma experiência parecida pode ser induzida num laboratório."[12]

Seus estudos mais recentes demonstram que, quando dois amigos têm a ilusão de trocar de corpo, aquilo que eles pensam sobre suas próprias personalidades se torna mais parecido com o que eles pensavam do amigo. Tudo isso nos leva a acreditar que poderemos um dia, tranquilamente, entrar no corpo de um robô humanoide e sentir que, de fato, estamos dentro dele. Mais que isso: poderemos acreditar que somos o próprio androide!

Deu um nó na cabeça?

É para dar mesmo.

Num estudo publicado em 2020, o doutor Pawel Tacikowski, um dos colaboradores de Ehrsson, conclui que "trocar de corpo não é mais uma coisa exclusiva dos filmes de ficção científica". E essa ilusão tem impacto direto sobre o que pensamos da nossa própria existência: quando mudamos de corpo e perdemos a referência de quem somos, temos sérios problemas de memória.

Um neurologista suíço fez um experimento em seu laboratório e pensa ter localizado o lugar do cérebro onde acontece a experiência fora do corpo.[13] Olaf Blanke colocou uma centena de eletrodos numa paciente que sofria convulsões. Ao ser estimulada numa região do cérebro entre o lobo parietal e o lobo temporal, a paciente teve automaticamente a sensação de sair do corpo. Não estava numa experiência de quase-morte nem precisou de ilusão de ótica ou meditação: apenas levou um choque.

A explicação científica mais atual para essa sensação de sair do corpo vem do fato de que, ao recebermos sinais contraditórios dos nossos ouvidos e olhos (ou talvez, quando não ouvimos nem vemos nada, mas produzimos uma vibração interna), somos levados a ficar confusos sobre a nossa localização. Essa confusão pode vir também de um choque elétrico, desde que no ponto exato descoberto pelo doutor Blanke.[14]

Como astrônomos que desvendam os segredos do universo, os neurocientistas esforçam-se também para descobrir o que causa a ideia de que ao estarmos perto da morte entramos num túnel e somos recebidos por seres feitos de luz. Estudos com astronautas e pilotos da Força Aérea dos Estados Unidos mostraram que quando uma pessoa gira violentamente a cabeça, o sangue para de correr por seu cérebro, e também pelo olho, e isso diminui sua visão periférica, levando-a a ver um túnel escuro. Em seguida, ela desmaia e depois desperta em grande confusão mental.

Então é isso?

Tudo o que pensamos sobre uma alma que se separa do corpo não passa de um *subproduto* do cérebro?

A alma é um subproduto do cérebro?

Ou será que o cérebro é um espelho da alma?

Reflita sobre essas perguntas!

Pense nelas como afirmações:

A alma é um subproduto do cérebro.

Materialista demais?

O cérebro é um espelho da alma.

Espiritualista?

Afinal...

Mesmo que os experimentos expliquem as origens ou sejam capazes de reproduzir as sensações que uma pessoa tem em suas experiências de quase-morte, talvez isso não signifique a ausência de uma experiência espiritual. E certamente não significa a ausência de alma em seu sentido metafísico ou filosófico. A questão maior que se coloca é se essa alma é de fato algo separado do corpo ou se tudo não passa de uma criação de nossa mente fantasiosa e impressionantemente inteligente.

O espírita Haroldo Dias Dutra entende que não é possível separar a mente do corpo, "porque a mente está integrada ao corpo". Ao mesmo tempo ele afirma que as duas coisas – mente e corpo – "interagem mutuamente, o corpo afeta a mente e a mente afeta o corpo". Ele cita o exemplo de uma pessoa estressada que ao repetir esse padrão de comportamento começa a alterar suas conexões neurais: "O hábito de ficar estressado altera a configuração do seu cérebro".

Em perfeita harmonia com os ensinamentos de Allan Kardec, o espírita brasileiro afirma que "a alma são os seres com o corpo físico" e que depois da morte do corpo, o espírito volta ao seu mundo para depois reencarnar. "Isso é um conceito importante porque o espírito é pré-existente, ele vem de um longo processo evolutivo. A evolução não é só biológica, ela é também espiritual."

Depois de viver inúmeras experiências fora do corpo, o hipnoterapeuta americano William Buhlman deixou de pensar que "o mundo físico que vemos é a única realidade que existe". Também mudou de ideia quanto à visão de que os conceitos de vida após a morte são tentativas humanas de criar esperança onde ela não existe. Concluiu que deve haver outros mundos além deste, e que o "corpo físico é só um veículo temporário para o verdadeiro eu que está aqui dentro".[15]

Depois de ler os relatos de Buhlman, querendo ver se era possível uma experiência puramente meditativa, eu também me submeti a uma experiência fora do corpo. Algumas vezes, sempre pela manhã, me deitei no tapete diante da estante de livros, na biblioteca onde costumo escrever, e tentei imaginar um único objeto em minha mente, algo que me desconectasse completamente do mundo exterior.

Em certo momento, senti meu corpo vibrar de maneira rápida e até violenta. Uma vibração intensa que me fez sair completamente de mim. Ouvi um zunido muito forte, mas, quando senti que deixaria meu corpo... Ora, vá entender! Uma mosca pousou em meu rosto e me trouxe de volta. Tentei outras vezes e senti novamente a vibração intensa e o zunido forte.

Por alguns instantes tive a impressão de estar fora, talvez a meio metro do tapete onde estava meu corpo, mas, ao tentar olhar para trás, não consegui ver nada, e voltei.

Minha experiência inconclusa não serve de prova a favor nem contra a ideia de que temos uma alma que pode se separar do corpo. O que sei é que os relatos de quem experimentou estar fora do corpo são perfeitamente condizentes com aquilo que senti, ainda que de maneira incompleta. E foi tão fascinante que, no momento oportuno, vou experimentar novamente.

Curioso que um cientista australiano famoso pense exatamente a mesma coisa que os praticantes das experiências fora do corpo. O engenheiro biomédico Jordan Nguyen ainda é um jovem cientista louco. Melhor dizendo... Ele não tem nada de louco, mas ficaria muito bem no clássico papel literário. E a visão que você teria sobre ele dependeria fundamentalmente de estar ou não usando óculos especiais.

Jordan Nguyen diz que estamos entrando numa nova era na evolução humana. E máquinas inteligentes certamente fazem parte desse futuro. Mas suas primeiras experiências bem-sucedidas têm impacto na maneira como vemos nossa alma.

Num desses experimentos, o cientista usou o que chama de "sensores de eletro-oculografia" para converter os movimentos dos olhos em sinais elétricos. Com isso, criou uma visão super-realista de... bem, de si mesmo.

Usando uma plataforma com 84 câmeras fixadas em torno de seu corpo, Nguyen capturou em vídeo cada pontinho de sua existência física. Depois de reorganizar essas informações num algoritmo de computador, ele produziu uma imagem tridimensional de si mesmo tão perfeita que, ao vê-la com óculos tridimensionais usados para criar realidade virtual, pensou estar vendo o próprio fantasma.

"Fiquei diante de mim mesmo, cara a cara!"

Um mágico-cientista?

Ilusionista do futuro?

Era uma espécie de avatar que podia interagir com o doutor Nguyen. Mas poderia ser entendido também como uma nova encarnação de sua existência, uma encarnação digital.

Aliás...

Não era disso que vínhamos falando?

Ao vermos a nossa própria imagem agindo como se fosse uma outra pessoa, somos capazes de refletir sobre nossa existência de maneira profunda. Muito mais profunda que o mitológico Narciso que olha para o lago e, na falta de outro amor, apaixona-se por si mesmo.

A criação de um avatar nosso que possa caminhar, sorrir e falar como se outra alma o habitasse (mesmo que seja uma alma digital), nos traz uma visão bem clara do que pode acontecer no futuro, quando possivelmente transmitiremos nossos pensamentos por meio de capacetes, membranas, sondas ou mesmo por escovinhas de eletrodos encravadas no cérebro. A força do nosso pensamento ou, melhor dizendo, nossa mera vontade, deverá ser capaz de mover corpos em mundos virtuais ou reais. Poderemos, dessa forma, sair por aí para dar uma voltinha em nosso "androide zero quilômetro". Ou, se estivermos meio sem grana, encontraremos um bom avatar na seção de "seminovos" do Mercado Livre. Sim, pagaremos com cartões sem contato.

Capítulo 4

QUANDO ÉRAMOS DEUSES

VOÁVAMOS PELA IMENSIDÃO DO UNIVERSO. VOÁVAMOS encantados por uma infinita beleza, inebriados de tanto saber, com asas tão fortes que podíamos suportar qualquer carga em nossas eternas missões. Éramos guardiões do bem-estar por entre as estrelas. E nesse tempo em que conhecíamos a verdade sem que nada nos escapasse, patrulhávamos a imensidão celestial cuidando de tudo o que é inanimado: as pobres coisas sem alma!

Vez por outra víamos o mais poderoso dos deuses com seus cabelos ondulados a caminho de mais uma aventura a bordo de sua carruagem celestial. Admirávamo-nos da beleza dos musculosos cavalos alados que eram a força motriz da carruagem divina, e ficávamos maravilhados de pertencer a este universo.

Quanta sabedoria e iluminação!

Vivemos assim por muito, mas muito tempo mesmo.

Sem que nada nos preocupasse.

Quanto encantamento!

Quanta beleza!

Mas um dia, fatalmente, o encanto se desfaz.

E se desfez.

Fomos subitamente tomados pelo esquecimento. Sem saber separar o justo do injusto, caímos na imundície do erro, e fomos afastados de tudo o que é belo para nos vermos cercados de espanto.

Nossas asas começaram a encolher.

Encolheram tanto que desapareceram.

Descobrimos que já não éramos capazes de voar.

Perdemos nossos poderes.

E começamos a cair em direção à Terra!

Talvez fosse adequado dizer que nos tornamos anjos caídos, pois chegamos a este planeta e aqui ficamos como se estivéssemos num terminal espacial sem voo de partida ou chegada.

Nos primeiros momentos desse nosso pouso inesperado, vagamos como astronautas sem nave num planeta em que não víamos nem amor nem beleza. Perambulamos como se fôssemos extraterrestres, sobreviventes de algum apocalipse longínquo, vagando por desertos feitos de arrependimento, culpa e dor. Subimos em morros e ouvimos seus ventos uivantes. Lembranças nos vieram à mente como relâmpagos. A memória, ainda que imperfeita, era o que nos fazia ter certeza de que algo realmente paradisíaco havia ficado para trás.

Atravessamos léguas e léguas do planeta que de longe nos parecia azul, mas que de repente ganhara tons verdes, marrons e amarelos, sem que ninguém ali percebesse que andávamos como almas penadas em busca de algo material que pudesse receber nossa existência. Finalmente compreendemos que estávamos em busca de uma *vestimenta*, um *recipiente*... Sem dúvida era isso o que buscávamos: um *corpo terreno* que pudesse nos abrigar.

Podia ser qualquer coisa que tivesse necessidade de existir, algo que, depois de ser ocupado por nossa alma, e só por causa dela, ganharia movimentos, tornando-se um ser vivo como as outras coisas mortais.

Imaginemos quando um dos nossos grupos de espíritos chegou, num dia qualquer. Um por um, manifestando suas expressões de espanto, tomaram consciência de que estavam encarnados em corpos de bebês humanos, num berçário de Atenas.

– Sinto-me uma droga de ostra trancada em sua concha! – exclamou um dos mais inteligentes do grupo de recém-nascidos, abrindo os braços em direção à parteira que ouvia apenas seu choro.

– Oh, não! Não é possível – lamentou um outro, no berço ao lado, ao perceber que também ele estava vestido num corpo de bebê.

– Assim ficaremos? – perguntou um outro ex-deus. Depois de nascer sem chorar, ele se apressou em ver nisso tudo uma maldição. – Diabos… Caímos em desgraça!

– Aguentemos, senhores. Habituemo-nos! – interveio o mais inteligente.

Ele então explicou aos colegas de berçário o que já tinha entendido: viveriam todos naqueles corpos, e depois de alguns anos migrariam para outro corpo, e depois outro. Estavam condenados a uma pena de 10 mil anos. Sentença inapelável que seria repartida em diversas encarnações e reencarnações.[16]

Suponhamos que essa alma inteligente, que disse coisas que ecoaram ainda por muitos milênios a partir das colinas de Atenas, recebeu de seus pais o nome de Platão. Conforme a filosofia que ele desenvolveria (sempre saudoso do tempo em que viajava pelo universo), a alma humana um dia reconquistaria suas asas e poderia vagar por onde quisesse.

Não é exatamente o que estão agora imaginando para o futuro?

Não será assim se um dia formos almas digitais pelo universo?

Seguindo as instruções que nos foram dadas pelo próprio filósofo, devemos nos reservar o direito de não ler o que ele escreveu em seu sentido estrito. Em vez de uma interpretação *literal*, como costuma acontecer a quem lê textos antigos como se fossem ditados por algum deus, faremos uma interpretação *literária*.[17]

No universo metafórico de Platão, almas conduzidas por asas imaginárias viviam por conta própria e viajavam pelo mundo dos deuses. Para que isso acontecesse, no entanto, precisavam se libertar "desta coisa que estamos carregando agora, a qual chamamos corpo... presos como uma ostra em sua casca".[18]

E não é isso que fazem os engenheiros de software que se dedicam à criação de inteligências artificiais quando tentam simular nossa alma dentro dos computadores?

Pois, só *desencarnada*, a alma imaginada pelos gregos podia retornar a uma existência prazerosa e equilibrada ao lado dos deuses celestiais.

– A alma é imortal e, como tal, não tem começo nem fim! – podemos ouvir um daqueles filósofos imaginários dizendo, e assim reproduzindo a ideia que Platão universalizou.

Conscientes de que habitamos um corpo humano e, por termos uma capacidade impressionante de raciocínio, podemos acreditar que não estamos sonhando. E temos ainda mais certeza disso porque estamos agora lendo estas ideias sobre a alma, seu passado e, principalmente, seu futuro.

E se já não somos deuses...

Nem *quase* deuses...

Ao menos podemos sonhar como os filósofos.

Sabendo que Platão não estava sendo literal, podemos nos perguntar se ele estava apenas criando uma fantasia sobre a imortalidade da alma reencarnante para explicar sua teoria de difícil comprovação de que podemos viver de corpo em corpo, experimentando vidas eternas.

Podemos nos perguntar também se Platão realmente acreditava nisso ou se estava só imaginando algo que sabia que não poderia comprovar, pois ele mesmo disse que não seria capaz de dar uma explicação exata sobre a alma: uma tarefa demasiado longa, "algo que, em todos os sentidos, caberia a um deus".

Sua explicação, portanto, foi a que era "humanamente possível".[19]

Platão entendia que nossa personalidade terrena é mera consequência daquilo que experimentamos enquanto éramos espíritos soltos pelo universo, e que "cada um passa a vida honrando o deus em cujo coro dançou".[20]

Conforme esse pensamento antigo, é por isso que buscamos as coisas bonitas aqui na Terra: porque nossas raras memórias das coisas divinas nos levam a querer reviver as experiências de um passado celestial em que tudo era belo.

Capítulo 5

ESPÍRITOS DE SUPER-HUMANOS CONVERSAM COM MÁQUINAS

AINDA NO SÉCULO XIX, O FILÓSOFO FRIEDRICH NIETZSCHE decidiu por conta própria que já estava na hora de decretar a morte de Deus. Argumentou que, depois de tudo que o ser humano havia inventado, e tudo que havia evoluído, não era mais possível que mantivesse as mesmas crenças de outrora.

Como se tivesse subido nos ombros de Darwin para ver uma história que tinha bilhões de anos, compreendendo a maneira impressionante como esse animal social se modificava, Nietzsche escreveu que, um dia, nós, humanos, profundamente limitados em nossa inteligência e capacidade física, não passaríamos de uma grande vergonha.

E apresentou isso na perspectiva evolucionista: assim como muitos de nós rimos quando vemos um chimpanzé ou gorila fazendo macacadas no zoológico, todos seremos dignos de gargalhadas quando formos vistos pelos humanos do futuro.

"Você percorreu o caminho que existe entre o verme e o homem, e ainda resta muito do verme em você. Mesmo o mais sábio de todos vocês não passa de uma mistura híbrida de planta e fantasma."[21]

Ao dizer que o que se pode amar no humano é justamente o fato de ele ser uma *passagem*, e que só amam aqueles que sabem aceitar o fato de que estão se extinguindo, Zaratustra, personagem mitológico que Nietzsche utilizou em sua ficção filosófica, anuncia sua grande invenção:

Übermensch!

O além-homem.

Transumano (como dizem agora).

Ou, simplesmente…

Super-humano.

Nos quadrinhos, e depois no cinema, o Super-Homem era aquele que superava a espécie humana em quase tudo. Capaz de ver através das paredes, levantar um carro com as próprias mãos e, sem qualquer dificuldade, realizar o nosso antigo sonho de voar.

De certa maneira, aquele ser de vestimenta azul e capa vermelha nascido num planeta distante era um espírito evoluído como os que Platão imaginou voando ao lado dos deuses. Mas, noutro sentido, o personagem dos quadrinhos era uma evolução deste humano que somos nós. Era como os super-humanos que começam a ser desenhados nos laboratórios.

Se não nascemos no planeta Krypton, e, portanto, os superpoderes não se desenvolveram naturalmente em nós, poderemos compensar nossas fraquezas com interfaces que nos conectam às máquinas? Podemos nos tornar, nós mesmos, máquinas com alma?

Pois a ideia de muitos cientistas atualmente é que ao recebermos sensores do tamanho de apenas alguns átomos dentro do nosso crânio seremos capazes de inúmeras maravilhas e, em realidade, seremos praticamente outras pessoas. Que impacto terá isso sobre nossas almas?

Uma das maravilhas superumanas que parece possível é a conexão sem fio entre duas mentes: transmissão de pensamento. Pode ser a realização da tão sonhada telepatia, algo que nos permitirá conversar com outras pessoas sem precisar falar, mas o mais provável é que, primeiro, nossas transmissões de pensamento sejam uma troca, quase uma conversa, entre os nossos cérebros e os nossos celulares.

Com implantes, que podem ser umas sondas minúsculas chamadas pela ciência de *nanossensores*, nossa alma (ou seja lá como o super-humano decida chamar sua essência) será capaz de transmitir seus pensamentos a um aplicativo e obter desse aplicativo uma resposta imediata. Pode ser só uma consulta para saber uma receita de bolo ou um pedido de ajuda para falar outra língua quando estiver numa viagem. De qualquer maneira, será uma mudança tão impactante que, provavelmente, teremos deixado de ser *meramente* humanos.

Os sensores poderão ser feitos de silício, carbono ou de alguma outra combinação de elementos químicos, mas serão tão pequenos que só os veremos com a ajuda de uma lente de aumento.

Isso que está sendo pouco a pouco desenvolvido pelos cientistas é a base da inspiração para o que venho imaginando numa nova obra de ficção. Nela, o personagem principal é um jovem muito solitário que acaba de receber uma bela herança e decide usar parte de seu dinheiro para pagar pelo implante de uma membrana com nanossensores.

A ficção caminha muito à frente da realidade, mas as duas, frequentemente, vão na mesma direção. Essa história me veio à mente depois que tomei contato com estudos de cientistas que testam membranas em pacientes com problemas no cérebro.

Com a tecnologia que está sendo desenvolvida agora, ainda é preciso *serrar* uma parte do crânio para colocar ali dentro uma rede de eletrodos, fios... dezenas de microfios com sensores nas pontas... para que eles repousem na parte superior do cérebro e possam se comunicar com os nossos pensamentos, sem o indesejável filtro que normalmente nos seria imposto pela ossatura craniana. Existem sondas também que fazem perfurações profundas para atingir alguns dos pontos mais escondidos da nossa mente, onde processamos grande parte das nossas ações mais inteligentes.

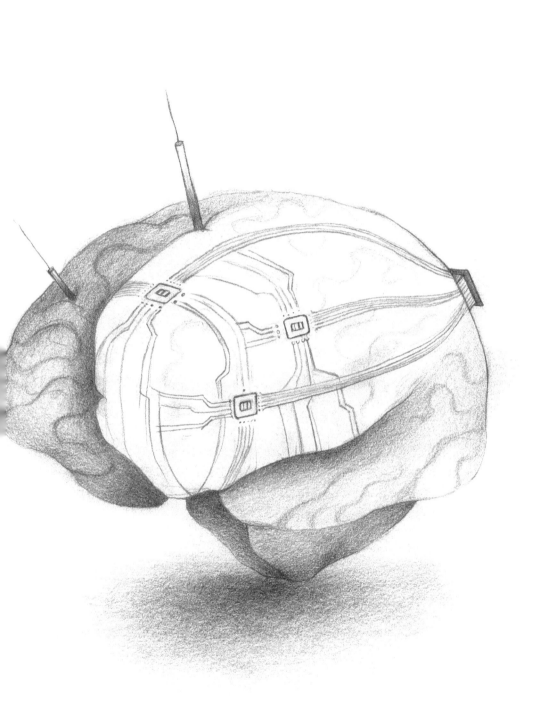

Esse é só o começo de uma série de tecnologias que um dia deverão permitir à máquina compreender nossos pensamentos de maneira ampla por intermédio de uma membrana, de sondas profundas ou algo que ainda será inventado. E isso nos permitirá, por exemplo, dar ordens ao computador sem precisar de um teclado, mouse... ou da tela do celular.

E faz muito sentido.

Se ao longo de bilhões de anos, ao longo desse tempo enorme em que evoluímos naturalmente, incontáveis mutações foram provocando mudanças em nossos corpos de amebas, e depois de répteis, e depois de mamíferos, e foram, inclusive, incorporando em nós ferramentas poderosas como os dentes e o incrível polegar opositor, somos levados a pensar que a evolução do humano moderno se dará, também, com a incorporação das ferramentas que mais usamos. Especialmente aquela da qual não desgrudamos.

Sendo assim, não parece *natural* que o celular uma hora se torne parte do nosso corpo? Que em vez de carregá-lo cansativamente nas mãos ou no bolso tenhamos o smartphone *dentro* das mãos... ou *dentro* da cabeça?

Imagine o anúncio:

O celular agora está dentro de você!

Em vez de ter um aparelho nas mãos, você agora interage com ele diretamente pelos neurônios, e não precisa mais colocá-lo para carregar, nem precisa procurar sinal de Wi-Fi... Nada! Pense, e as coisas mais incríveis acontecerão, imediatamente!

A propaganda é futurista, mas já tem muitos experimentos evoluindo nessa direção. Um deles, na Mayo Clinic, no estado americano de Minnesota, permite que pacientes com epilepsia consigam escrever textos no computador usando apenas seus pensamentos. O paciente primeiro ensina o computador sua maneira de pensar. Mentaliza cada uma das letras e assim a máquina aprende como são os pulsos elétricos emitidos quando ele deseja digitá-las. Os cientistas calculam que o próximo passo desse tipo de estudo será o registro não só de palavras, mas de imagens.

Ao mesmo tempo que as pesquisas avançam, já há diversas institui-ções médicas, inclusive no Brasil, que fazem implantes de eletrodos num processo chamado Estimulação Cerebral Profunda.[22] E o interessante é que o paciente pode ficar acordado assistindo à cirurgia, pois nosso cérebro não tem receptores de dor.

A equipe médica faz um furo no crânio e insere uma sonda de chumbo que desce até as profundezas do cérebro, chegando ao precioso tálamo, a parte responsável por algumas das chamadas *funções superiores*, como a linguagem, a atenção e a memória. Ali, como uma tubulação que extrai petróleo do fundo do mar, a sonda-eletrodo ficará implantada para monitorar, e influenciar, o que acontece nas profundezas do nosso cérebro.

O anúncio das sondas vendidas atualmente em sites médicos especiali-zados parece vir do futuro (e consigo até ouvir uma voz sintética falando): "O modelo de chumbo 3389 é fornecido com uma ponta macia e romba para uma passagem suave através do tecido [do cérebro]."[23]

Depois de implantar a sonda, numa outra cirurgia, os médicos im-plantam um gerador de pulsos elétricos também debaixo da pele, próximo à clavícula. E o paciente monitora tudo, da carga da bateria à ingestão de medicamentos, pelo inseparável celular (um equipamento que já vive gru-dado ao nosso corpo, mas ainda fora dele).

O tratamento é usado em pessoas com distonia, epilepsia, desordem obsessionante e tremores causados, entre outros motivos, pela doença de Parkinson. Mas já há testes em andamento para que possa atacar outros problemas, como dores de cabeça persistentes e o vício em drogas ou álcool. Acho que se pudesse implantar uma sonda dessas em meu cérebro para controlar meus pequenos vícios alimentares não seria má ideia.[24]

E se o implante de eletrodos pode fazer uma pessoa esquecer seu de-sejo antes incontrolável de, por exemplo, tomar mais uma dose de bebida, poderá também fazer a pessoa esquecer um amor impossível? Abandonar alguma lembrança triste que a atormenta?

Sabemos bem que muitas invenções nascem assim.

Surgem para resolver questões de saúde.

E logo se desdobram noutras funções.

Capítulo 6

A EXPANSÃO DA *EXTELIGÊNCIA*

CERTA VEZ, NOS ESTADOS UNIDOS, VISITEI UMA MULHER muito solitária que sofria de um mal que os cientistas tratavam como *supermemória*. Sua capacidade de se lembrar de praticamente tudo o que havia acontecido fazia com que aquela mulher revivesse diariamente suas experiências mais tristes e também as coisas mais banais, como o momento em que entrou numa loja de brinquedos pela quarta vez para convencer a mãe de lhe comprar uma certa boneca. Para preservar sua privacidade, vou apresentá-la aqui como Denise.

Ela se lembra, obviamente, de como isso tudo começou.

Foi quando sua família se mudou de cidade dentro dos Estados Unidos. Denise era ainda muito jovem e teve medo de nunca mais rever a casa e os amigos que deixou para trás. Esforçou-se profundamente para guardar tudo em sua memória. Claro, ela já possuía uma enorme capacidade de memorizar as coisas, mas foi naquele momento que sentiu que nunca mais deixaria de viver como se houvesse em sua mente uma *tela dividida* entre o presente e o passado.

A maneira de atenuar o problema, conforme a sugestão de um psicólogo, seria escrever aquelas memórias incômodas. E Denise preencheu inúmeros diários com sua letra caprichada.

Atenuou um pouco seu incômodo, mas continuava triste com seu indesejável superpoder. E se Denise pudesse desligar essa função ao mesmo tempo magnífica e atormentadora de sua mente?

Certamente o faria.

E se pudesse ter eletrodos nos lugares certos para dar choques mortais naquelas memórias?

Acredito que Denise abraçaria qualquer tecnologia que pudesse desligar sua supermemória e libertar sua alma desse passado que, de tão insistente e repetitivo, a atordoava e ainda atordoa.

Cientistas da Universidade da Califórnia em Irvine descobriram que essas pessoas com *Memória Autobiográfica Altamente Superior* têm conexões adicionais entre os lobos frontais de seus cérebros: ou seja, o lado esquerdo e o direito ficam se comunicando o tempo todo, em vez de, como seria normal, comunicarem-se eventualmente, quando necessário. Essas conexões podem ser a origem ou, o que é mais provável, uma consequência dessa característica de se lembrar de tudo, tudo, tudo o que se viveu.

O que acontecerá se os cientistas puderem criar artificialmente essas conexões que mudam a maneira como percebemos as coisas e sentimos o mundo ao nosso redor? Ou se, além de conectarem partes internas, puderem conectar o cérebro a equipamentos externos, como um disco de memória de computador?

Claro que não seria algo que Denise usaria, mas talvez os mais esquecidos de nós, e me incluo entre eles, desejassem esse superpoder para se tornarem pessoas mais divertidas, capazes de entreter os amigos nas rodas de conversa contando suas lembranças mais antigas, ou simples piadas. Eu, por exemplo, adoraria me lembrar de cada reportagem que fiz, gostaria de lembrar também dos muitos momentos em que meu coração disparou de emoção, como quando ganhei um prêmio num festival de música no colégio.

Uma supermemória permitiria também que a pessoa jamais tivesse problemas para decorar a tabela periódica ou para se mostrar altamente informada ao recordar, por exemplo, de tudo o que leu nos livros sobre a incrível história do Brasil.

As tecnologias estão se desenvolvendo e não devemos estranhar se dentro de alguns anos uma empresa gigante da Califórnia ou de Xangai nos oferecer um aparelhinho que nos permita expandir... ou apagar nossas memórias.

Há mais de uma década, o neurocientista André Fenton faz pesquisas para entender o funcionamento da memória. Em seu laboratório, na Universidade de Nova York, insere pequenas sondas no cérebro de animais para manipular as proteínas PKM-zeta, que são as principais responsáveis pelas nossas lembranças. O doutor Fenton entende que o primeiro passo para apagar memórias ou estimular a aquisição de novos conhecimentos já foi dado: compreender o que é a memória e como ela se manifesta a partir da matéria física de que é feita.

Em termos biológicos, a manipulação das nossas memórias passa por nosso código genético, que, em muitos sentidos, determina quem somos e como funcionamos.

"O DNA oferece as instruções e o mecanismo para alterar algo que é físico, que são as substâncias químicas", explica Fenton. "Produz aquilo que nós identificamos, de forma até mística, mágica e espiritual... como vida."

E o DNA acaba por se transformar em proteína.

No fim das contas, os médicos do futuro deverão ser capazes de alterar o funcionamento dessas proteínas para que as memórias se apaguem... ou para que se aumente nossa capacidade de lembrar e aprender coisas novas.

Para isso, o doutor Fenton e seus colegas neurocientistas estudam como um neurônio se comunica com outro. Pois é aí – nas conexões e não no próprio neurônio – que reside a memória.

Então, se grande parte da nossa essência é aquilo de que nos lembramos, podemos dizer que alma é conexão?

Do ponto de vista das relações humanas, não tenho dúvida. Mas, do ponto de vista cerebral, parece também que a alma só existe no momento em que bilhões de coisas que não vemos se conectam com outros bilhões de coisas que também não vemos. E mesmo que se entenda a alma como algo espiritual que tem a capacidade de se separar do corpo, é indiscutível que ela se manifesta, ou se converte em matéria, através dos neurônios, naquilo que a ciência chama de mente.

O que nos forma é a maneira como nossos neurônios guardam as lembranças do que aconteceu entre eles, e também, certamente, a maneira como nos conectamos com o mundo ao redor para alterar essas conexões internas.

Agora...

Se as proteínas morrem depois de alguns dias...

Como é que as memórias permanecem por anos e anos?

O doutor Fenton explica que os mais de 80 bilhões de neurônios do nosso cérebro se acionam uns aos outros e isso funciona como uma "rede social" que é capaz de manter viva uma ideia. Antes de morrer, uma proteína já passou o recado à outra que nasceu!

E isso fica guardado mesmo que uma ideia não seja algo palpável e também não seja limitada a uma única fonte de informação. O que se sabe atualmente é que a memória não está neste ou naquele lugar.

Novamente: em certo sentido, é algo etéreo, que se dá por meio das conexões que acontecem dentro de nós.

Entendendo mais a fundo essa comunicação entre as proteínas será possível inserir sondas ou outros equipamentos eletrônicos em nosso cérebro para alterar aquilo que armazenamos em nossas conexões neurais.

Talvez seja preciso um implante.

Talvez não.

Pois as tecnologias de transmissão de pensamento vêm evoluindo e, dependendo de quanto avancem, podem nos poupar de cirurgias incômodas.

Alguns anos atrás estive na Universidade Carnegie Mellon, no estado americano da Pensilvânia, acompanhando pesquisas de leitura de pensamento. Usando computadores, os cientistas tinham dividido o cérebro humano em milhares de partes, chamadas *voxels*, que se iluminavam de maneiras diferentes na tela conforme a área do cérebro que era ativada por determinado pensamento.

Ao comparar as imagens produzidas por cada pensamento, os cientistas conseguiam descobrir o que o voluntário da pesquisa estava pensando. O processo ainda é lento e limitado pela quantidade de tempo que a pessoa pode ficar dentro de um equipamento de ressonância magnética, mas é promissor.

Quando esse procedimento se tornar mais simples...

Usaremos capacetes para conversar com as máquinas?

Ou será por uma ligação direta que o celular vai saber o que queremos que ele faça por nós?

Bem...

Quando isso acontecer, precisaremos ter uma enorme atenção com a manipulação que as empresas de tecnologia promovem em nossas almas. Em 2020, o documentário *O Dilema das Redes* mostrou como algoritmos programados para valorizar notícias que despertam mais interesse (gerando mais dinheiro com publicidade e mais controle sobre os usuários) acabam levando multidões de seres humanos a se *desinformarem* e, pior que isso, a se tornarem agressivos, depois de serem bombardeados com o sensacionalismo massificado das *fake news*.

A manipulação feita através daquilo que vemos e ouvimos tornou o mundo mais dividido nesses últimos anos, levando pessoas a extremismos que pareciam improváveis alguns tempos atrás.

O que poderá acontecer, então, se nossas almas estiverem conectadas ao Facebook ou ao TikTok por meio de interfaces que conversem diretamente com nossos neurônios?

Por enquanto, as tecnologias mais avançadas de conexão entre o nosso cérebro e as máquinas são usadas para combater doenças. Ou ainda estão em caráter experimental.

Mas...

Quanto tempo mais vai levar?

Num futuro não muito distante de nós, talvez na próxima década, não deve mais ser preciso colocar fios em nossos crânios para que nos comuniquemos com as máquinas. O implante poderá ser, quem sabe, com injeções indolores de sensores finos como os nossos cabelos... umas coisinhas minúsculas que poderão assumir funções dinâmicas em nossas caixas cranianas e nos tornar, digamos... quase tão inteligentes como Einstein.

Será?

Assim, diante de avanços tecnológicos gigantescos, cientistas e futuristas do mundo inteiro começam a pensar no dia em que daremos risada do velho humano, conforme a previsão do Zaratustra de Nietzsche.

"Amo os que não procuram por detrás das estrelas uma razão para morrer e oferecer-se em sacrifício, mas se sacrificam pela Terra, para que a Terra pertença um dia ao Super-humano."[25]

Quando formos seres muito mais evoluídos que agora, poderemos usar essa nossa relação especial com os computadores para conseguir, por exemplo, que eles peçam sushi pelo Uber Eats sem que precisemos perder tempo lendo cardápios, pois eles serão instantaneamente carregados em nossas mentes. É possível pensar que nosso próprio cérebro se tornará um cartão de crédito para pagar nossas contas. Ou mesmo para alugar um corpo artificial... num futuro ainda mais distante... se a ideia de fazer *download* da nossa consciência for realmente possível.

Mas, afinal, se estivermos biologicamente conectados à máquina...

Seremos máquina?

Deixaremos de ser puramente humanos?

Seremos uma nova espécie animal?

Ou alguma outra coisa, tipo...

Máquinas humanas!

Androides, replicantes, transumanos...

Bem...

Quando dermos risada do que somos agora, nos sobrarão apelidos.

Mas, espere! E se você descobrisse que seu cérebro já está conectado à máquina? Se descobrisse que a máquina já está dizendo a você *como* você deve pensar e agir?

O neurocientista André Fenton, a geneticista Mayana Zatz e muitos outros cientistas entendem que já estamos fundamentalmente conectados aos celulares e que o fato de termos uma interface instalada em nosso cérebro será *apenas mais um* avanço tecnológico, mas não uma mudança de paradigma.

A doutora Zatz, bióloga molecular e geneticista da USP, chama o celular de "exteligência", remetendo-nos à ideia surgida nos anos 1990, de que o capital cultural disponível em suportes externos ao nosso cérebro, como livros, discos e, mais recentemente, a internet, é um conhecimento--fora-da-cabeça que pode facilmente ser acessado.[26]

No mesmo sentido, o doutor Fenton entende o celular como "uma extensão da minha mente".

Talvez o celular seja mesmo nosso... outro eu.

Então, se tirarmos o aparelho das mãos e o colocarmos dentro da cabeça, a mudança que acontecerá em nossas vidas talvez seja o equivalente a sairmos, por exemplo, da tecnologia 5G para, digamos, 6... 7... ou 80G.

O desafio, na opinião de Fenton, será fazer nossa mente funcionar bem como essas "extensões" para que fabricantes e anunciantes não nos manipulem mais do que gostaríamos.

Mas, sem dúvida, ao inserirmos o celular em nosso cérebro estaremos ampliando nossas capacidades. Poderemos, por exemplo, implantar memórias ou aprender a falar mandarim sem passar por um penoso cursinho que ao fim de meses poderá, ainda assim, não dar resultados (*wie als ich Deutsch gelernt habe*).

"Sabemos que se nós estimularmos determinada parte do cérebro, o processamento das informações vai sofrer uma alteração", o doutor Fenton explica.

O que aconteceria se o meu desejo fosse ser campeão de xadrez?

"Não sei ao certo se seria possível fazê-lo aprender, mas seria possível tornar esse aprendizado mais fácil para você."

E se isso for uma questão quase obrigatória, do tipo… quem não tem um cérebro fisicamente conectado ao computador não consegue um emprego na firma? Ou se, por exemplo, só pessoas com membranas e sensores forem consideradas inteligentes o suficiente para ocuparem os cargos mais altos nas multinacionais e nos governos do mundo?

Talvez exista ainda outro argumento, mais imediato, para fazer com que aceitemos rapidamente a ideia de implantar coisas na nossa cabeça. E, para isso, certamente contaríamos com o memorável apoio de Denise, a mulher atormentada por sua supermemória: basta pensar que tecnologias assim tão avançadas poderão significar melhorias substanciais em nossa qualidade de vida.

Capítulo 7

AS ORIGENS DA ALMA

SE DESEJAMOS IMAGINAR O FUTURO E COMPREENDER O presente, é fundamental voltarmos às nossas origens para tentar descobrir como foi que nasceu em nós a ideia de que temos alguma coisa que se separa do corpo depois da morte. A ideia vem, possivelmente, de um passado distante que, ao mesmo tempo, está muito próximo de nós. Pois faz pelo menos 300 mil anos que os humanos têm o cérebro com o nível de complexidade e o tamanho do nosso, polegares opositores como os nossos e, se pensarmos que eles tinham alma, também suas almas terão sido da mesma espécie que a nossa.

Mas desde quando pensamos em almas?

Quando éramos parte da selva, éramos como os outros animais?

Ocupados em descobrir o fogo, já pensávamos nessas coisas?

Quando foi a primeira vez que um humano disse "existe um espírito dentro de mim"?

É bem possível que a percepção humana sobre a existência de um espírito ou de uma alma – uma coisa imaterial que sobrevive na ausência do corpo – tenha surgido ao mesmo tempo em que os nossos antepassados começaram a querer preservar as memórias de seus ancestrais mortos, ainda nas cavernas, nas comunidades humanas de, talvez, 100 mil anos atrás.

E o *talvez* aqui é fundamental.

Antes da invenção da escrita, não temos certeza de nada.

Lembro aqui o que me disse o antropólogo João Zilhão:

"Ideias não fossilizam!"

Com as devidas ressalvas, podemos imaginar, especular ou inferir sobre o passado. Mas jamais conseguiremos afirmar categoricamente o que aconteceu antes que os sumérios imprimissem no barro os primeiros símbolos cuneiformes, inaugurando a escrita, na região onde atualmente ficam o Iraque e o Kwait, mais de 5 mil anos atrás.

Estudos arqueológicos sugerem que a nossa ideia de que existe uma alma como entidade separada do corpo nasceu da percepção de que certas pessoas eram tão importantes que continuavam vivendo mesmo depois de morrer.[27]

É de se pensar que a *primeira alma* foi algo que se projetou na memória de alguém. Imaginemos uma cena bonita. Uma mulher com seu corpo encoberto de peles para espantar o frio glacial está sentada diante do fogo na caverna. Talvez tenha sido ela! Enquanto prepara um bracelete de conchas, se lembra de um dos meninos do grupo, que talvez fosse seu filho, morto poucos dias antes numa caçada de mamute.

O menino não lhe sai da cabeça.

Está em seus sonhos.

E lhe aparece à noite.

Sorri com seu jeito doce.

Ela tenta lhe dizer alguma coisa.

Mas ele desaparece.

Um espírito?

Posso imaginar que, naquele dia simbólico em que começamos a suspeitar da existência de algo além desta vida, a nossa antepassada coberta de peles, ou talvez o nosso antepassado, estivesse tentando se comunicar com uma pessoa muito importante, fosse por razões afetivas ou relacionadas ao poder que tal pessoa exercia. Podia ser o espírito de um velho sábio que lhe aparecia de noite para dar conselhos sobre o futuro do clã.

Achados arqueológicos e análises de paleontólogos nos levam a crer que, quando nasceu, a ideia da existência de uma alma ou de um espírito veio acompanhada de duas outras ideias: primeiro, a de que *a vida continua depois da morte* e, depois, a de que *o espírito vive eternamente*. E, nesse sentido, é possível concluir que a imortalidade surgiu por uma necessidade cultural.

Explico.

Se a morte de alguém tende a apagar sua existência da memória dos integrantes de uma certa sociedade, o enterro e os rituais dedicados àquela pessoa são uma forma de jamais esquecer. Repetir cerimônias anualmente (como, por exemplo, no Día de los Muertos, no México) é praticamente uma garantia de que a vida espiritual será eterna – mesmo que essa eternidade só ocorra na mente dos que ainda estão vivos.

De qualquer maneira, podemos pensar que foi para manter o conhecimento representado por cada pessoa que as sociedades ancestrais começaram a dar uma grande importância ao processo ritualístico de *perpetuar suas memórias*.

Ouvindo novamente a voz experiente de Zilhão, podemos pensar que a crença na existência de uma alma é algo mais recente, pois o dualismo, a ideia de que existe uma coisa chamada corpo e outra chamada alma, conforme o antropólogo diz, "é próprio de algumas religiões modernas, mas não se encontra em contextos de caçadores-coletores, em cujas crenças a distinção [entre alma e corpo] não existe".

Quando pensamos no que acreditavam os humanos que viviam apenas daquilo que caçavam e colhiam pelas florestas, os antropólogos se referem, de maneira genérica, ao *animismo*. Em vez de atribuir a si algo especial e distinto que terá um destino nobre em alguma instância superior, os grupos de humanos caçadores, e neles estão incluídos os indígenas brasileiros, tendem a imaginar que tudo, absolutamente tudo, é movido por uma força vital. Nesse sentido, se por acaso tiverem chamado essa força vital por algum nome que pudéssemos traduzir como alma, os nossos ancestrais teriam atribuído alma a tudo o que existe: as pessoas, os bichos, as árvores, os rios, as flores, as abelhas... e também o mel.

Quando foi então que um grupo de humanos passou a acreditar que aquilo que nos movia era algo independente do nosso corpo? Que havia algo espiritual em oposição ao material?

Pode ter sido tanto 100 mil como 10 mil anos atrás.

Num estudo sobre as origens dos rituais de enterro, João Zilhão conclui que "é bem possível que conceitos sobre morte, sobre os mortos, e uma vida após a morte, que fossem essencialmente os mesmos que vemos nos humanos do tempo presente, existissem nas mentes do Baixo Paleolítico e nas sociedades antes do surgimento dos enterros formais". Ou seja, talvez os humanos de 300 mil ou 3 milhões de anos atrás já acreditassem na existência de uma alma. Só não nos deixaram nenhuma pista sobre isso.

Podemos pensar que, como tudo o que vem acontecendo neste planeta redondo, as ideias sobre alma, espírito e eternidade tenham evoluído ao mesmo tempo em que os humanos evoluíam. Até que, em dado momento, tais ideias ganharam a forma que nos foi apresentada pelos filósofos gregos, pelos judeus e, depois deles, pelos cristãos, muçulmanos e espíritas.

É certo que em algum momento do Paleolítico, no mínimo 40 mil anos atrás (pois a arqueologia comprova isso), nossos ancestrais começaram a fazer esculturas para eternizar a imagem de humanos e de animais, muitas vezes unindo os dois, e em algum momento começaram a usar barro ou presas de mamute para reproduzir a imagem de pessoas mortas. Assim nasceram figuras que representam deuses, animais, humanos e, muito mais tarde, os santos de cerâmica, de pedra ou madeira que conhecemos tão bem.

Exatamente...

Assim nasceram os santos.

Imagens de pessoas consideradas justas e exemplares (ainda que tal santidade não seja sempre um consenso) começaram a ser esculpidas para preservar suas memórias. Mais tarde, essa função foi assumida pela escrita, com evangelhos e biografias, sem que jamais abandonássemos a ideia ancestral de representar pessoas memoráveis com arte.

De certa forma, preservar uma imagem é preservar uma alma.

E aí parece que a alma surge, primeiro, como uma necessidade da nossa memória. Pois, ao ser retratado, o morto se torna imortal para os que ficaram vivos.

Pense no retrato de seus avós na parede da casa de seus pais.

Pense em fotos ainda mais antigas, em preto e branco…

Aquelas pessoas não parecem fantasmas?

A percepção humana sobre a existência de uma alma esteve muitas vezes associada à *memória*. E é claro que a ideia de imortalidade se desenvolveu de maneiras diferentes em diferentes culturas. Nas palavras da arqueóloga britânica Alice Stevenson, "uma maneira de se estimular o sentido de imortalidade é através da experiência comunitária sobre como os outros são enterrados e como as relações sociais são encenadas em rituais mortuários".[28]

Então, a *imortalidade* é para os que vivem?

E, nesse sentido, a *alma* só existe na nossa memória?

Alma é apenas memória?

Ou é algo que sai do corpo para seguir viagem?

A necessidade de cultivar a lembrança de pessoas queridas é uma das explicações possíveis para o surgimento dos primeiros rituais mortuários, e com eles, com perdão do paradoxo, *a imortalização do morto*. Pode ter sido junto dessa imortalização espiritual por meio de rezas e danças, e também tentativas de preservação do corpo do falecido, que nasceu a crença de que os espíritos daqueles com quem convivemos continuam nos rondando, e às vezes nos assombrando, mesmo depois que seus corpos são devidamente guardados em tumbas.

O que é um *fantasma* se não a ideia de que uma certa alma não consegue se desligar de sua vida terrena e decide uma hora aparecer? Novamente, será que o fantasma só existe porque alguém não nos sai da memória?

Achados arqueológicos indicam que foi no Egito que os rituais mortuários começaram a ser transformados em *realidades existenciais alternativas*, quando pela primeira vez nos deixaram vestígios concretos informando sobre a crença humana na imortalidade, com o imaginário coletivo daquelas pessoas começando a intuir que haveria diferentes formas de vida após a morte, ainda que essas outras vidas pudessem ser privilégio dos reis.

Sinais muito claros sobre essa ideia de alma imortal apareceram no Egito em escavações arqueológicas do chamado Período Nacadano, quando uma certa sociedade habitou o vale do rio Nilo, mais de 5 mil anos atrás.

São dessa época os registros mais contundentes de seres humanos fazendo experimentos com os corpos de pessoas importantes depois de suas mortes. Os nacadanos faziam performances, como se fossem peças de teatro mesmo, usando humanos e animais. Eles também quiseram experimentar maneiras mais, digamos, materialistas de manter vivos os seus mortos: removeram o crânio de alguns deles, reorganizaram ossos dentro dos túmulos, e, ainda antes de surgirem os faraós, mumificaram mãos e rostos de alguns dos indivíduos mais importantes de suas sociedades, provavelmente querendo torná-los eternos.[29]

Isso não significava que os egípcios dessa época tivessem alguma crença religiosa. Mais, até: o que esses rituais nos mostram é que a ideia de que nossas almas são imortais surgiu sem que houvesse necessidade de uma religião como algo instituído e organizado. A religião foi provavelmente um acontecimento posterior.

Seguindo com os egípcios, suas práticas mortuárias evoluíram a tal ponto que um dia os vimos construir pirâmides gigantescas para abrigar os corpos mumificados e garantir a vida eterna de seus faraós. Mas além disso eles usavam colares e ornamentos de diversas formas e materiais, e fabricavam estatuetas de deuses, como Ísis e seu filho Horus, que serviam para lembrar que a vida continuaria mesmo depois que os corações descansassem.

Além de criar múmias e pirâmides para eternizar seus governantes, os egípcios escreviam livros que contavam a vida dos mortos (para que seguissem vivos), e depositavam comida, cerveja e vinho nos túmulos para que ficassem satisfeitos em suas vidas espirituais.

Ainda antes dos egípcios, muito antes, os primeiros indícios de que humanos estavam preocupados com o que lhes acontecia após a morte vieram de uma espécie humana que conviveu conosco por ao menos 20 milênios e depois desapareceu. Pelo que sabemos até o momento, aqueles caras de queixo protuberante com quem deparamos logo depois de fazer nossa viagem da África para o Oriente Médio, os *Homens de Neandertal* (com quem nossos ancestrais *Sapiens* conviveram por muitos milênios) estiveram entre os primeiros a enterrar seus mortos.

Em 1906, um esqueleto quase completo de Neandertal foi encontrado numa caverna em La Chapelle-aux-Saints, no sul da França. Era de um indivíduo do sexo masculino, com aproximadamente 40 anos de idade, muitos dentes perdidos, osteoporose na mandíbula e uma terrível artrite.

Velho Homem foi o nome que os arqueólogos lhe deram.

Tinha sido enterrado numa cova rasa, uns 30 centímetros de profundidade, claramente cavada por alguém ou por um grupo que desejou cuidar daquele corpo de maneira distinta (e não apenas atirá-lo num abismo, como costumava acontecer). O funeral do Velho Homem pode ter sido um dos primeiros da história.

O arqueólogo Zilhão levanta a hipótese de que o surgimento dos enterros formais foi consequência de uma complexificação das relações sociais, coincidindo com o momento histórico em que nós, humanos, começamos a pintar e decorar nossos corpos com colares e braceletes. Os enterros parecem ter surgido também num contexto em que os grupos de humanos cresciam, começavam a se impor em determinados territórios e, de maneira importante, desenvolviam novas tecnologias.[30]

É interessante notar que, agora, com tantas tecnologias novas, estamos pensando novamente na imortalidade, mas com anseios ainda mais ambiciosos, pois o sonho atual é criar seres eternos com congelamento e reanimação, algoritmos ou com novas tecnologias genéticas.

Se voltarmos um pouco em nossa linha evolutiva, como fez o arqueólogo britânico Paul Petit, veremos que os chimpanzés, nossos primos distantes, carregam seus mortos e demonstram grave preocupação diante da perda. Mas só os humanos, e provavelmente só a partir do chamado Médio Paleolítico, decidiram usar lugares específicos para deixar os mortos (sem que fosse uma espécie de local de abandono), onde começaram a proteger os corpos em covas ou debaixo de pilhas de pedras, nos chamados *enterros formais*.[31]

Mas há uma espécie de lei arqueológica, o *paradoxo sapiente*, que diz que qualquer comportamento que possa ser externado e, portanto, identificado pelos estudiosos, deve ter antes existido por um longo tempo até ser consolidado na forma que acabou por se tornar visível. Isso nos permite pensar que os conceitos de *morte* e *vida após a morte* – essencialmente os mesmos que temos atualmente – podem ter existido nas sociedades ancestrais muito antes que nossos antepassados começassem a enterrar os mortos em cemitérios. Eles podem ter adotado, por exemplo, a prática de queimar os corpos de seus parentes queridos nas fogueiras, ou talvez tenham lançado os corpos rio abaixo em rituais de reconexão com a natureza.

Não sabemos.

Capítulo 8.

ALMAS DO FUTURO VESTEM EXOESQUELETOS

SEMPRE ENTENDI NOSSO CÉREBRO COMO UMA JOIA valiosíssima que deveria ficar para sempre trancada nesse cofre inviolável chamado crânio. Mas a realidade é que o futuro daquilo que chamam alma, para que seja como a ciência o desenha, exige que o cérebro deixe de ser uma massa cinzenta indecifrável para se tornar uma interface aberta para o mundo digital.

Uau!

Putz...

Caramba.

Sim, sim, sim...

Estão querendo que você faça uma conexão direta com o celular e isso parece um caminho sem volta, assim como o foi no dia em que apareceram os primeiros Blackberries (uns aparelhos antigos que tinham um teclado real embaixo da tela) oferecendo pela primeira vez um serviço móvel de e-mail, obrigando você a estar conectado sem respiro, 24 horas por dia, 7 dias por semana. Perceba o quanto isso mudou sua maneira de viver, e sua maneira de pensar, criando rotinas fragmentadas em sua mente, exigindo que você se desdobre em inúmeros assuntos ao mesmo tempo, com mensagens pipocando a cada segundo e fazendo seu cérebro se alternar entre pensar, checar mensagem, pensar outra coisa, checar outra mensagem.

Foram mudanças radicais e sem aviso prévio!

E você percebeu isso na sua maneira de ser.

Ficou mais esperta?

Mais nervoso?

De um jeito ou de outro, sentindo de maneira mais ou menos intensa o tranco da mudança radical, fomos todos meio que obrigados a um processo imediato de adaptação. E isso está prestes a acontecer de maneiras ainda mais impactantes.

Em Genebra, o professor John Donoghue e outros cientistas do Wyss Center for Bio and Neuroengineering implantam sensores menores que um *nano sim card* de celular em pacientes cujo cérebro não consegue se comunicar com o resto do corpo.

É uma plaquinha com microeletrodos (parece uma escovinha de cabelo) com espessuras equivalentes às pontas de 96 cabelinhos que conseguem identificar a atividade dos neurônios de uma pessoa. Por exemplo, quando alguém com paralisia total do corpo manifesta sua intenção de movimentar um braço.

O sinal produzido no cérebro para manifestar aquela vontade é enviado por um fio até um transmissor de ondas de rádio implantado debaixo da pele, atrás da orelha. Assim, a ordem é identificada por um pequeno computador – na prática, um celular com funções específicas colocado no cinto da pessoa. Depois de decodificar a atividade cerebral, o equipamento envia a mensagem para outro receptor implantado debaixo de pele do peito e isso ativa os nervos que fazem o braço da pessoa com paralisia se mexer normalmente.

O experimento feito em ambiente laboratorial usa equipamentos maiores, ainda em fase de protótipo, e não é tão portátil como poderá ser quando for vendido aos usuários. O importante, no entanto, é que, para movimentar um braço, os eletrodos foram colocados na parte exata do córtex responsável pelo movimento.

Com essa tecnologia, a equipe do doutor Donoghue já fez outros pequenos milagres. Permitiu que voluntários com tetraplegia movimentassem o cursor de um mouse na tela de um computador usando apenas os sinais elétricos gerados por seus pensamentos; que pessoas sem movimentos nos braços e mãos conseguissem escrever usando um teclado que aparece numa tela de computador. A equipe de Genebra conseguiu também que uma paciente movimentasse o braço de um robô para segurar algumas coisas, como uma garrafinha, para que ela pudesse beber água por conta própria.[32]

Aquilo que começa como pesquisa médica pode se tornar um brinquedo, ou uma arma poderosa. Imagine do que seria capaz um soldado que estivesse vestido com uma armadura impenetrável e pudesse se movimentar apenas com a força de seus pensamentos?

Os videogames já anteviram esse futuro em jogos pós-apocalípticos como a série *Fallout*, de 1997, em que os integrantes da Irmandade de Aço usavam exoesqueletos ultrapoderosos que, além de blindá-los das armas inimigas, lhes permitiam carregar armamentos pesadíssimos e usá-los sem qualquer esforço.

Mas a ficção hollywoodiana foi ainda mais longe.

E no alvo!

No filme *Elysium*, de 2013, o personagem de Matt Damon recebe um implante neural, um equipamento eletrônico cirurgicamente instalado em seu cérebro, e com isso passa a controlar um exoesqueleto ultraleve e poderoso que foi literalmente aparafusado a seu corpo. O herói faz maravilhas com seu corpo eletrônico conectando-se a ele... com a força da mente.

Ficção?

Por enquanto, sim.

Mas só por enquanto.

Exatamente um ano depois do lançamento do filme com Matt Damon, em meados de 2014, o pontapé inicial da Copa do Mundo de Futebol foi dado por Juliano Pinto, um jovem paraplégico que só conseguiu fazer o breve movimento com a perna direita porque seu cérebro estava conectado a um capacete que mandava ordens a um exoesqueleto.

O invento do neurocientista brasileiro Miguel Nicolelis disparou um chute potente na direção de uma meta que vem sendo cada vez mais perseguida, e que está cada vez mais próxima.

No fim de 2019, no Hospital Universitário de Grenoble, na França, Thibault, um jovem francês tetraplégico, conseguiu dar alguns passos em linha reta, e movimentou os braços, controlando o exoesqueleto apenas com seu pensamento.

Foi como na ficção.

Como nos relatos bíblicos…

O paralítico andou!

Mas o francês não pensou em milagre.

Sentiu-se um astronauta num planeta distante.

Estava, talvez, diante de um milagre materialista, no sentido mais preciso da palavra: aquele que compreende que somos apenas matéria, e que não há nada etéreo dentro ou em torno de nós, mas que entende também que isso *não* significa que somos pessoas insensíveis ou sem amor.

A alma materialista pode estar no cérebro e ainda assim será, no sentido metafórico, uma alma. Ou só podemos aceitar a existência de uma alma se for algo invisível que se separa do corpo para seguir em sua vida espiritual pela infinidade do universo?

Numa sala branca e iluminada de um hospital francês, o jovem Thibault conectou-se à sua musculatura futurista por meio de dois sensores implantados entre a pele e a ossatura do crânio (não no interior do cérebro como em outros experimentos). Seus pensamentos eram lançados ao espaço computacional por uma série de fios enormes e pesados que estavam presos a um trilho no teto da sala do hospital. E, assim, ele dava ordens ao computador que fazia o milagroso exoesqueleto andar.

Mas…

E se não tivermos nenhum problema em nossa medula?

Se o exoesqueleto for apenas uma ferramenta de trabalho?

Do curioso *Aliens* ao incrível *Avatar*, faz muito tempo que os filmes de ficção científica vêm antecipando essa ideia de que poderemos aumentar nossas capacidades humanas quando estivermos conectados às máquinas.

Em *Avatar*, pressupondo ainda muitos avanços com relação à tecnologia usada pelo francês Thibault, o corpo que o cérebro humano movimenta é o de gigantescos e poderosos extraterrestres azuis. É um futuro ainda mais avançado que a tecnologia proposta em *Elysium*, pois só depende do pensamento. E o cérebro não está dentro do corpo do avatar: há uma espécie de transmissão sem fio ocorrendo ali. Mas ainda assim o usuário é capaz de experimentar tudo: o toque, o cheiro, os perigos, as dores, as feridas... e as emoções sentidas pelo avatar. É como se a consciência tivesse sido temporariamente transferida para um outro corpo.

É só mais uma forma de imaginar o dia, cada vez mais anunciado por futuristas e futurólogos, em que nossas consciências poderão viajar pelas galáxias. É, certamente, a antecipação da ideia que muitos cientistas têm, de que poderemos controlar outros corpos usando tecnologias semelhantes às que conhecemos atualmente como Wi-Fi ou Bluetooth.

Como tudo tem parecido possível para o ser humano e suas criações, aquilo que separa a ficção da ciência, provavelmente, é apenas uma questão de tempo. Mas, antes de nos conduzir ao futuro, os cientistas precisam resolver questões técnicas importantíssimas. Precisam, por exemplo, encontrar maneiras de administrar o volume extraordinário de informações que serão emitidas por nosso cérebro se ele estiver completamente conectado por sondas, eletrodos ou outras formas mais avançadas e menos invasivas, como, quem sabe... sensores minúsculos.

E é aí que nossa mente poderosa apavora os cientistas!

O doutor Donoghue explica que se em vez de conectar os eletrodos a 96 neurônios ele os conectasse a 10 mil neurônios, a quantidade de informações produzida a cada instante seria imensa e a taxa de transmissão atingiria um nível tão absurdo que nenhum equipamento atual seria capaz de enviar aqueles dados por um sistema sem fio. Além disso, a quantidade de energia consumida por tal equipamento seria extraordinária, exigindo imensamente das baterias.

Se 10 mil neurônios são um obstáculo dificílimo de ser transposto, como seremos um dia capazes de monitorar nossos mais de 80 bilhões de neurônios?[33]

Será mesmo possível conectar nossas mentes aos celulares?

Ninguém em sã consciência dirá que é impossível, pois até agora quase tudo tem sido possível para esse ser que o historiador Yuval Harari chamou de *Homo Deus*.

Mas, certamente, vai levar tempo.

E talvez não seja preciso conectar todos os nossos neurônios para obter resultados impressionantes. Afinal, se com apenas 96 conseguimos movimentar um braço ou escrever um texto na tela do computador... quantos neurônios (e quantos gigabytes) serão necessários para que o celular possa decodificar uma parte dos nossos pensamentos e nos ajudar a avaliar todos os cenários possíveis e tomar uma decisão rápida, por exemplo, se estivermos a ponto de chocar nosso carro contra um caminhão?

As questões tecnológicas que envolvem a decodificação de pensamentos são um grande desafio. Outra questão é como fazer com que um celular ou computador possa se tornar compatível com um cérebro. Pois, enquanto as máquinas operam em modo binário, ou seja, com apenas 2 valores diferentes para cada pedaço de informação, nossa mente usa um sistema altamente complexo, com pelo menos 26 valores diferentes para rotular e armazenar as informações em cada neurônio, conforme a explicação que me foi dada pela doutora Carolina Rimkus, neurorradiologista da USP.

O mais provável é vermos avanços graduais, com mais e mais partes do cérebro sendo conectadas, e novas funções sendo atribuídas ao computador em formato de celular que estará *para sempre* perto de nós.

Melhor dizendo…

Não para sempre.

Até o dia em que o celular estiver *dentro* de nós.

E os sinais que nos chegam dos laboratórios nos mostram que mesmo essas questões complexas, como a incompatibilidade do *software humano* com o software dos celulares, serão resolvidas, nos deixando, sempre, à beira de uma nova revolução.

Sobrepondo-nos às montanhas científicas que nos separam desse futuro hi-tech, podemos imaginar o dia em que será comum nos injetarem *nano-quaisquer-coisas*, fazendo apenas microfuros em nossos crânios, quem sabe usando agulhas com pontas de diamante (que se parecerão às brocas dos dentistas e não à furadeira que usaram no personagem de Matt Damon).

É possível pensar que até os bebês já sairão do berçário depois de ter feito teste do pezinho e um implante de sensores que lhes garantirão uma vida integrada a uma sociedade global em que *todo mundo* tem membranas ou coisas parecidas conectando suas almas diretamente aos celulares.

O mesmo Miguel Nicolelis que fez o paralítico brasileiro chutar uma bola já conseguiu um feito inédito ao usar o cérebro de um macaco, nos Estados Unidos, para movimentar, via internet, um robô no Japão.

Esse pode ter sido o começo de uma ampla mudança cultural que vai nos levar a uma época em que vestiremos roupas repletas de sensores e viveremos experiências em corpos reais, que estarão sobrepostos aos nossos corpos, ou corpos artificiais novinhos, que estarão esperando por nós em boutiques ou locadoras, alguma coisa assim, na esquina de casa, noutra parte do planeta… ou, o que parece cada vez mais possível, logo ali em Marte.

De alguma forma, se tudo der certo e não estivermos fantasiando muito, novas tecnologias nos permitirão viver, muito mais cedo que imaginávamos, a ideia mais incrível de todas, aquela que estava no conto espacial de Asimov: a de que um dia experimentaremos outras vidas em lugares distantes… sem tirar os pés do chão. Melhor dizendo, sem sentir os pés, pois já não precisaremos deles.

Ora… não é exatamente isso o que se acredita que fazem os espíritos ao deixarem seus corpos?

Capítulo 9

IMORTALISMO

APROXIMADAMENTE 38 MIL ANOS ATRÁS, UM SER HUMANO ainda com o corpo bastante coberto de pelos, e certamente coberto com peles de outros animais, encontrou uma presa de mamute e decidiu guardá-la para construir uma estatueta. Eram dias muito frios, estávamos em plena Era do Gelo, e isso nos faz imaginar que foi diante de uma fogueira no interior de uma caverna na atual Alemanha que o *sapiens* escultor começou a talhar o marfim. Usou sua ferramenta de pedra bem afiada para dar forma a um corpo forte, com pernas e braços musculosos que pareciam estar em movimento, ou mesmo prestes a começar alguma atividade, pois sua cabeça de leão (ou leoa) estava erguida, com orelhas felinas levantadas como se estivesse em alerta diante da ameaça imposta por algum invasor – ou apenas, possivelmente, para se comunicar com algum espírito. Em seu rosto, vemos um sorriso. E por ser tão importante para a compreensão da história humana, me parece mais enigmático e instigante que o de qualquer Monalisa.

Claus-Joachim Kind, Nicole Ebinger-Rist e outros pesquisadores alemães que encontraram os fragmentos de marfim e reconstituíram a estatueta do *Homem-leão* entendem que era um objeto sagrado, talvez a representação de um ser superior que nós chamaríamos deus.[34] Pode ser também que a estatueta exibida atualmente no Museu de Ulm, perto de Stuttgart, tenha sido criada como um objeto religioso no sentido mais amplo da ideia de religião: a crença numa força criadora superior ou, ao menos, a crença numa força superior e desconhecida que influi nos rumos das coisas terrenas.

Jamais saberemos.

No entanto, em seu clássico livro *Animais Humanos*, de 1915, a escritora francesa Frank Hamel defende a tese de que os primeiros humanos acreditavam na existência de "uma alma imortal que habita o corpo material" não apenas dos seres humanos, mas de todos os animais, sem exceção. Mais de cem anos atrás, conforme o estudo de Hamel, a pesquisa científica já mostrava a busca do chamado *humano primitivo* pela imortalidade, mesmo que isso se desse, incialmente, por meio da arte e do xamanismo.

É possível também que a cabeça de leão colocada no corpo humano da estatueta fosse uma vestimenta de pele animal usada pelo xamã em rituais sagrados.[35] Nesse caso, o Homem-leão representaria o próprio xamã e assim podemos imaginar que o espírito de um feiticeiro morto estivesse encarnado na estatueta de maneira imaginária – ou religiosa.

Levando em conta que nesse tempo tão distante os humanos provavelmente ainda não pensavam em deuses como os humanos de agora, essa religiosidade pode ter sido uma ligação plena do *Homo sapiens* que a esculpiu com os espíritos dos ancestrais mortos de seu grupo de caçadores.

Mesmo os arqueólogos e paleontólogos só podem *imaginar* essas ideias, pois não há nada escrito, e os desenhos não trazem nenhuma prova definitiva. Esculturas e pinturas são apenas indicações de que, desde que começamos a desenvolver a arte e, de maneira mais ampla, a cultura como a conhecemos agora, estávamos pensando em imortalidade.

A humanidade evoluiu, mas jamais deixou de produzir estatuetas para imortalizar nossos ancestrais e seus espíritos. E essa obsessão humana por acreditar que a alma sobreviverá à decadência do corpo foi o que levou à construção dos maiores monumentos da antiguidade. Os egípcios ergueram suas pirâmides gigantes para que ali ficassem os corpos mumificados e os espíritos imortalizados de seus faraós.

A evolução dessa ideia, que atravessa uma série de experimentos, ou fantasias, nos leva aos Estados Unidos, no século XX, quando Neil R. Jones publicou numa revista o conto *The Jameson Satellite*.

O personagem principal, o professor Jameson, decide enviar seu corpo para a órbita da Terra, onde ele fica milhões de anos congelado até ser resgatado por seres de outro planeta, que reparam seu cérebro e o trazem de volta à vida. Quando o professor Jameson desperta, ainda é a mesma pessoa de antes, mas a humanidade já foi extinta e ele é seu último representante.

Antes de se tornar professor de física e matemática, Robert Ettinger leu a ficção científica que contava a história do professor Jameson e ficou obcecado pela imortalidade. Mas entendeu que não era preciso viajar ao espaço e esperar que o acaso lhe trouxesse um *alien* bonzinho. Iria fazê-lo aqui mesmo, sem esperar milhões de anos para começar o projeto.

Assim, o professor Ettinger escreveu seu clássico livro *A Perspectiva da Imortalidade*, apresentando, de maneira amadora e experimental, uma teoria sobre congelamento e reanimação de corpos que continua influenciando cientistas.[36]

O mundo estava fervendo com revoluções de costumes e enfrentamentos entre o velho e o novo, com suas revoltas de maio, libertação sexual e a expansão do movimento hippie. Em plena Era de Aquário, o professor americano lançou a Era dos Congeladores.[37]

Ettinger imaginou que poderíamos ser mantidos a temperaturas de quase 200 graus negativos dentro de tanques de nitrogênio para esperar que a Medicina avançasse a ponto de curar a doença que ameaçava nos matar (o ideal era congelar a pessoa instantes antes de sua morte, ainda que, na prática, isso fosse eutanásia, algo que só agora, inclusive em algumas partes dos Estados Unidos, começa a deixar de ser crime).

O fundador do imortalismo imaginou também que poderiam surgir técnicas que nos permitiriam simplesmente reverter o processo de envelhecimento, a apavorante senescência que, pelas visões mais otimistas do futuro humano, é algo que não precisará *naturalmente* acontecer.

Ettinger criou o primeiro centro de preservação criônica de corpos nos Estados Unidos, dando o exemplo que mais tarde seria seguido por outros imortalistas, que atualmente oferecem esse serviço de *imortalização de almas* por uma soma que começa em US$20 mil (um pagamento único, garantido até a eternidade, ou até o dia em que a pessoa congelada voltar a viver).

O sonho de Ettinger era que os seres humanos não precisassem morrer. Iríamos todos descansar em tanques, num tempo indefinido em que experimentaríamos apenas alguns momentos de sono até que nossos "amigos do futuro" curariam aquilo que derrotou nosso corpo.

Ressuscitaríamos, afinal![38]

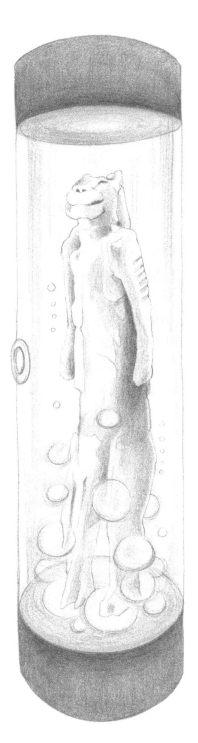

Compartilho aqui minha admiração por esse ser humano gentil e fascinante com quem tive a oportunidade de conversar em 2010, quando o visitei, no estado americano do Michigan. Ettinger tinha nas paredes de casa os retratos de duas ex-mulheres, alguns parentes e animais de estimação que (ele não tinha dúvida) estavam imortalizados em tanques de nitrogênio à espera de avanços da ciência para que pudessem voltar a viver.

Ettinger me contou que, em seu entendimento, o corpo adormecido jamais deixava de ter uma alma, e deu como exemplo algumas pessoas que tiveram morte cerebral decretada e depois ressuscitaram, como um menino norueguês que caiu num rio parcialmente congelado e renasceu duas horas e meia depois num hospital.

"Ninguém pensou na alma do Roger", disse Ettinger.

O que o professor queria demonstrar era que a ressuscitação de uma pessoa, mesmo que muitos séculos depois, era apenas um prolongamento de sua vida. E que isso não significava que uma alma não viesse ocupar aquele corpo.

"É possível que depois da morte clínica a alma vá buscar sua recompensa e que, se o corpo for reanimado, outra alma venha a ocupá-lo?"[39]

A pergunta existencialista de Ettinger ficou famosa.

Foi questão central em meu livro *O Primeiro Imortal*.

E é profundamente intrigante.

O que acontece com a alma quando o coração para de bater?

Se a gente morre só por um tempo, é possível que um outro espírito se apodere do nosso corpo?

"Sem negar a existência da alma, devemos mostrar que sua definição é tão vaga que ninguém, mesmo religioso, pode afirmar que sabe muito sobre ela."[40]

Um tempo depois, sem abandonar a ideia de preservação em nitrogênio, os imortalistas discípulos de Ettinger entenderam que teremos mais chances de viver eternamente se nossos cérebros forem implantados em outros corpos – que hipoteticamente poderão ser biológicos, eletrônicos, ou uma mistura dos dois. Daí terem passado a guardar apenas as cabeças das pessoas para implantá-las em corpos jovens e saudáveis. É o que eles chamam, no jargão imortalista, de "pacientes neuro".

Em *O Primeiro Imortal*, meu romance publicado em 2019, as ideias de Robert Ettinger ecoam por uma sociedade global que vê a imortalidade como algo certo, apenas uma questão de tempo. E são imortalistas seguidores do professor americano que resgatam o corpo de um *Homo sapiens* ancestral e decidem reanimá-lo para comprovar suas teorias sobre a imortalidade.

Os imortalistas do romance não precisam mudar a cabeça de Ignatius para outro corpo, pois, por milhares e milhares de anos, aquele homem ancestral foi preservado em perfeitas condições na camada permanente de gelo na Sibéria.

Décadas mais tarde, no entanto, num tempo em que imaginamos uma Neurociência imensamente mais evoluída que a de agora, num laboratório ultramoderno nas geleiras do Polo Norte, cérebros armazenados em tanques podem ser conectados a computadores para que… bem, não vou contar aqui a história do livro, mas o que quero dizer é que a ficção, desde os tempos de Neil Jones e Isaac Asimov, vem se antecipando à ciência, imaginando um futuro que nós agora estamos vendo começar a se tornar realidade nos laboratórios. Cientistas nos levam a apostar cada vez mais na possibilidade de transferir a alma, mente ou consciência de uma pessoa para que ela possa viver mais tempo, ou mesmo eternamente, noutro, digamos, suporte físico.

O microbiologista português João Pedro de Magalhães lidera pesquisas sobre senescência na Universidade de Liverpool com o objetivo de fazer com que os humanos vivam por mais tempo através de mecanismos de manipulação genética. Ele tem um profundo interesse pela ideia da imortalidade. Entende que a condição humana "é só o começo de uma jornada extraordinária da mente pelo universo".

O cientista português afirma, no entanto, que ainda estamos longe da tecnologia necessária para reanimar um corpo congelado, e que, mesmo que a conservação seja feita com os chamados crioprotetores (líquidos que pretendem impedir a destruição das células), haverá danos graves aos neurônios e a pessoa que renascerá no laboratório não será a mesma que foi congelada.

"Meu novo *eu* pode ter algumas memórias de como *eu* era, mas *eu* não vou mais existir".

É o entendimento do professor Magalhães.

Uma solução para isso pode estar na reconstituição dos neurônios destruídos entre o congelamento e a reanimação, como em experimentos em que cientistas disseram ter injetado uma substância que evitou a destruição das células de macacos que voltaram a viver depois de ficarem "mortos" a uma temperatura de um grau centígrado.[41]

É possível que descobertas nos campos das células-tronco e da nanotecnologia possam tornar o sonho da imortalidade possível. E o professor Magalhães pensa que, da mesma maneira como é possível "desligar o cérebro" de pacientes durante cirurgias, em breve será possível fazê-lo por tempos muito mais longos.

A questão que Ettinger se colocava, e que é central para muitos imortalistas, só será respondida quando o primeiro imortal sair de um laboratório e puder nos contar o que lhe aconteceu.

Mesmo depois de ficar adormecido por anos e anos... é a mesma pessoa?

Para quem acredita que não há evidências sobre a existência de uma alma ou consciência que possa existir separada do corpo, a imortalidade da pessoa congelada dependerá do estado de preservação de suas células no momento do descongelamento. Conforme essa visão, se formos capazes de manter o corpo e o cérebro intactos, aquilo que entendemos como alma estará também intacto. Se as células forem destruídas de maneira irreparável, mesmo que isso só aconteça parcialmente, "a pessoa será exatamente como *eu* mas não será *eu*".

Paradoxalmente, mesmo acreditando que a humanidade talvez não sobreviva o suficiente para desenvolver as tecnologias necessárias para nos tornar eternos, o professor Magalhães afirma que o congelamento, a chamada criopreservação de corpos, é atualmente "a única esperança de atingir a imortalidade física".[42]

Mas...

E se o corpo não for importante?

Se nossa essência sobreviver à decomposição da matéria?

E se a vida após a morte for mesmo do jeito que nos disseram?

Capítulo 10

VAMOS VOLTAR A DEUS

A IDEIA QUE SE TORNOU QUASE UM CONSENSO UNIVERSAL sobre alma nos foi ensinada pelos judeus. E isso inclui, necessariamente, o mestre nazareno que ensinou a seus discípulos sobre alma, amor e imortalidade no Céu.

De Jesus Cristo para os apóstolos.

Dos apóstolos para os discípulos.

Deles para Paulo de Tarso.

De Paulo para o resto do Império Romano.

E, uns 300 anos depois, as crenças judaico-cristãs começaram a ser comungadas por uma grande parte do mundo até se tornarem a religião oficial dos imperadores. Foi desta mesma semente que nasceu o islã, e o pensamento dos muçulmanos se construiu também nessa ideia de uma alma que busca o reencontro com Alá, que pode ser ainda Javé ou outro nome que se dê ao todo-poderoso Deus de Abraão.

Muito mais tarde, depois de inquisições e cruzadas, quando as caravelas europeias encurtaram as distâncias do mundo, até mesmo culturas mais isoladas, como as tribos nativas do Brasil, começaram a comungar de ideias judaicas sobre questões espirituais. As viagens de Colombo, Vespúcio, Cabral e de outros conquistadores cristãos foram, em muitos sentidos, a globalização da alma.

Os índios já acreditavam em algo sobrenatural, mas tinham suas próprias mitologias. Os astecas pensavam que a vida depois da morte só existia debaixo da terra, num submundo governado pelo deus da morte. Os tupis viam espíritos em tudo, especialmente nos animais, mas os mais poderosos estavam dentro da água.[43] E muitas dessas crenças resistiram ao tempo, como uma bela tradição dos Dessana Wari, no alto Rio Negro, na Amazônia, que conta que os espíritos dos deuses se transformaram em instrumentos musicais para que as pessoas pudessem fazer música.[44]

Havia muitas novidades na ideia de alma trazida pelos estrangeiros que ofereciam espelhos e cortavam cabeças. A alma dos conquistadores era feita à semelhança de Deus e não tinha nada a ver com a natureza. Era uma coisa única, individual, ausente nos animais. E, de maneira ainda mais importante, se separava do corpo no momento da morte para viver outra vida num lugar distante, chamado Paraíso. Foi com muito custo, a ponto de serem tomados por incapazes, que os indígenas acabaram por aprender que as almas dos bons e justos seguiam rumo ao céu, enquanto as dos pecadores iriam queimar com o diabo no inferno.

O cristianismo conquistou almas com tamanha velocidade que sua visão judaica se tornou praticamente um consenso universal. Foi revalidada no século XVII pelo filósofo francês René Descartes, que deu argumentos filosóficos para as muitas religiões que afirmavam que a alma existe de maneira totalmente independente do corpo. O *cartesianismo*, como ficou conhecido esse pensamento, realimentou o que parece ser uma eterna discussão sobre o que é o corpo e o que é a mente.

O aval de Descartes àquilo que tinha sido ensinado por Jesus Cristo consolidou de maneira quase universal a certeza de que somos feitos de um corpo e de uma alma. Isso, que é conhecido também como visão *dualista* da nossa existência, espalhou-se de tal forma pelo mundo ocidental que as pessoas praticamente deixaram de se questionar sobre o assunto.

A pergunta passou a ser, apenas, se nossa alma iria para o céu ou para o inferno. E assim, uma grande parte da população do planeta se sente absolutamente segura ao afirmar, como se fosse incontestável, que somos essencialmente uma alma e que essa alma precisa de um corpo apenas para dar o melhor de si enquanto espera o momento de voltar a ser livre num mundo puramente espiritual.

É, novamente, a visão de Platão, quando ele disse que depois de muitas reencarnações nossas almas voltariam a voar livremente pelo universo. O filósofo foi, inclusive, responsável pela incorporação definitiva da ideia de alma imortal nas mentes judaicas, pois sua influência se estendeu para muito além de Atenas, e caiu muito bem em Jerusalém.

Fazia quase um milênio que os judeus eram um povo dominado por forças estrangeiras. Ora os babilônios, ora os persas de Alexandre, ora os selêucidas e, depois de muitas guerras civis, os romanos foram os novos ocupantes que impuseram suas leis ao povo escolhido. Depois de quase mil anos desejando voltar ao tempo em que Israel era um reino unificado e governado pelos hebreus, parecia urgente acreditar numa vida depois desta, muito melhor do que esta.

Afinal de contas, a ocupação estrangeira era uma humilhação insuportável para o povo que sempre se orgulhou de manter uma relação especial com Deus.

No tempo de Jesus não havia consenso. Era comum um sacerdote saduceu dizer que a morte "é sentença do Senhor para toda Carne" ou, como foi escrito no Eclesiástico, que "todos vêm do pó e todos voltam ao pó".[45]

Lendo as palavras atribuídas a Jesus nos evangelhos, não temos qualquer dúvida de que, como os essênios e fariseus, ele entendia que um dia as almas boas iriam habitar um reino de Deus onde encontrariam muito mais alento do que na podridão da Terra.

Como ele disse, o pecador "estará sujeito à Geena de fogo". Era o purgatório, o lugar onde as almas pecadoras serão julgadas antes de receberem a sentença que diria... céu ou inferno.[46] "O que daria o homem pelo resgate de sua alma?", Jesus perguntou certa vez.[47]

Depois que os romanos destruíram Jerusalém, na diáspora, a imortalidade tornou-se uma pedra fundamental do judaísmo: se não acredita em vida após a morte, "você nem mesmo é judeu".[48]

Melhor, portanto, deixar o corpo morrer para "voltar a Deus".

Foi isso, afinal, o que profetizou Oseias, sempre citado no cristianismo:

Deus nos partiu em pedaços, mas irá nos curar.

E viveremos com ele.[49]

A grande diferença era que, enquanto para os filósofos gregos a ideia de voar pelo universo ao lado dos deuses era assumidamente metafórica, para os judeus e, depois deles, os cristãos, a ideia de que a alma sairia do corpo e iria para o céu era vista como um fato *literal*, ou seja, algo que de fato iria – e vai – acontecer.

Se a imortalidade foi uma certa novidade que levou tempo para virar consenso... o que dizer da ideia de alma? Será que desde Abraão os judeus acreditavam que havia algo além do pó?

O nascimento de uma alma dentro dos corpos humanos está diretamente associado ao momento mitológico da criação conforme apresentado no *Gênesis*.

Naquele começo, quando o deus Javé decidiu criar o homem, utilizou-se do barro da terra para fazer o corpo e depois inspirou em suas narinas "o sopro da vida".

É curioso, apenas curioso, que Deus não tenha recorrido novamente ao barro ao criar a mulher. Usou uma costela de Adão. E é o Primeiro Homem quem nos conta do que é feita a Primeira Mulher:

O osso dos meus ossos.

E a carne da minha carne.[50]

Adão não disse "a alma da minha alma".

Nem mesmo...

"O sopro do meu sopro."

Interessante que a ideia de alma tenha sua primeira aparição no livro sagrado do judaísmo justamente quando os sacerdotes que redigiram a escritura fizeram uma clara censura ao conhecimento e à ciência, pois querer saber demais, em certos sentidos, sempre foi um "pecado terrível".

Não bastou expulsar Adão e Eva do Paraíso.

Foi necessário também cortar a *Árvore do Conhecimento do Bem e do Mal* para que ela parasse de nos oferecer seus frutos proibidos.

E isso Javé não fez.

Foram justamente os frutos do conhecimento, na forma de ciência e Filosofia, que apresentaram a maior oposição à ideia de que temos uma alma independente deste nosso corpo feito de carne, costelas e uns tantos outros ossos.

Capítulo 11

21 GRAMAS NA ÁRVORE DO CONHECIMENTO

O MATERIALISMO, DIGA-SE ANTES QUE SEJA TARDE, NÃO É apresentado aqui como um termo pejorativo usado para falar de pessoas desalmadas que não têm sentimentos e que só pensam em obter riqueza para gozar esta vida curta antes que tudo termine a sete palmos do chão. Não é nada disso. Quando se fala em materialismo do ponto de vista filosófico, a ideia que se precisa lembrar, primeiro, é a da eterna busca humana pela felicidade.

O materialismo que compreende nossa existência como feita de átomos é tão antigo que conquistou adeptos só alguns séculos depois do surgimento da mitologia judaica da Criação. Muito antes do cristianismo, do islã e, certamente, antes do espiritismo. E entender que a nossa essência é algo material não significa pressupor a ausência de uma alma no sentido de um *lugar* onde nossa existência acontece.

Pelo contrário, para certos materialistas, um corpo que não tem os "átomos da alma" fica inconsciente. Quando os "átomos do corpo" estão desorganizados de maneira que a existência de uma consciência se faz impossível, algo incrível acontece: os "átomos da alma" se estilhaçam e tornam-se incapazes de sentir.

Foi por volta de 300 a.C., na mesma época em que Aristóteles divagava sobre as propriedades imateriais daquilo que nos dá movimento, que o filósofo Epicuro afirmou que a alma era essa coisa material, feita de átomos. A filosofia de Epicuro partia do princípio de que vivemos num universo infinito. Buscava compreender o movimento. Pensava já sobre a gravidade da Terra e via o átomo como partícula elementar de todas as coisas. Mais importante que tudo, no entanto, era um certo objetivo na vida dos seres humanos: uma busca pela felicidade plena que poderia existir se não sentíssemos mais nenhuma dor física nem tivéssemos qualquer perturbação mental.

E se por acaso essa ideia eliminava a esperança numa vida após a morte, isso não tinha o menor problema, pois não havia nada mais importante que a nossa busca pela felicidade. Noutras palavras: se essa era a nossa única vida, a nossa única chance, então isso era mais uma razão para vivermos felizes no aqui e no agora.

Epicuro defendia um materialismo radical que dispensava qualquer forma de transcendência, descartando completamente a ideia de imortalidade trazida por seu conterrâneo Platão. Queria provar que a alma *não* sobreviveria depois da morte do corpo e que, portanto, *não* precisaríamos nos preocupar com a possibilidade de sermos punidos numa vida posterior.

Se pudéssemos parar de ter medo do que poderia nos acontecer depois da morte, viveríamos esta vida sem uma terrível ansiedade que, para Epicuro, era o que nos levava a ter sentimentos irracionais, completamente desnecessários, como a ganância, a avareza e a ânsia de obter honrarias e poder. Sem esses medos e sem os desejos nefastos que eles produzem, os humanos estariam livres para buscar os prazeres aos quais estão naturalmente inclinados, atingindo uma paz interior que até então parecia impossível.

Mas, como Epicuro sabia que seria muito difícil que as pessoas abandonassem as velhas crenças e sentimentos para acreditarem em seu materialismo, propôs algumas diretrizes aos seus alunos:

Evitem a política!

Tenham a amizade como essencial!

Não se importem tanto com sexo ou casamento!

E saibam que os deuses não estão nem aí para o que fazemos!

O romano Tito Lucrécio Caro foi discípulo desse materialismo de Epicuro. Acabou, como dizemos agora, "cancelado" pela Igreja por causa de suas ideias ateístas. Alguns séculos depois do mestre, ele quis mostrar que somos parte de um universo caótico, que somos feitos de átomos, que a morte não é um reino aterrorizante, que os deuses não passam de ilusão, e que o homem não é o centro do universo.

Os ensinamentos de Lucrécio ficaram muito tempo sumidos e foram redescobertos num mosteiro na Alemanha, quase por acaso, em 1417. Ficamos sabendo que, para ele, assim como para os budistas, a morte não é o fim de tudo porque nossos átomos se transformam em outras coisas.

"Nenhuma coisa regressa ao nada,

Mas todas regressam, por desagregação,

Aos átomos da matéria."[51]

Lucrécio nos deixou uma única obra literária chamada *Sobre a Natureza das Coisas*. É uma coleção de poemas poderosos em que o poeta romano afirma que a alma é constituída de duas partes: o *espírito*, que se espalha por todo o corpo, e a *mente*, que é a central de comando, localizada no coração.[52]

"Mas o principal,

Que tem poder sobre todo o corpo,

É nosso julgamento (...)

Localizado na parte do meio do peito."

Lucrécio estava seguro de que nossa alma era algo muito delicado, feito apenas de átomos. E chegou a imaginar a existência dos nossos neurônios.

"Como [a mente] trabalha tão rapidamente, ela tem que ser composta de *sementes* que são extremamente redondas e pequenas, de maneira que, quando um mínimo impulso age sobre essas partículas, elas podem ser colocadas em movimento." [53]

Lucrécio estava antecipando o que veríamos mais tarde, quando o estudo do nosso cérebro demonstrasse que os pensamentos se dão por meio de pulsos elétricos, e que ativam nossos neurônios, sem que isso signifique a ausência de uma alma dentro de nós.

Então, se temos uma alma material...

A alma tem peso?

Em 1901, o médico americano Duncan McDougall quis responder a essa pergunta com um experimento em seu laboratório no estado americano de Massachusetts. Visitou um asilo e identificou seis velhinhos que estavam já no limite entre a vida e a morte. Colocou suas camas sobre balanças industriais de alta precisão.

Descartou do experimento dois velhinhos por não ter conseguido ajustar a balança a tempo, e só analisou quatro resultados. Um dos pacientes pareceu perder peso após a morte, mas numa medição posterior o doutor McDougall concluiu que seu peso tinha voltado ao normal. Dois pacientes perderam peso no momento da morte, mas pouco depois estavam mais pesados que quando vivos. Um único paciente se comportou como imaginava o doutor: perdeu 21,3 gramas.

Depois, o doutor McDougall repetiu o experimento com cachorros, mas nenhum deles perdeu peso no momento da morte. Estava explicado: só os humanos têm alma, e a alma pesa 21 gramas!

Sério isso?

Funcionaria muito bem como título de filme, como de fato funcionou num longa metragem não muito bom do incrível diretor mexicano Alejandro González Iñárritu. Ainda que tivesse concluído consigo mesmo que estava certo e que a alma humana tinha um peso de 21 gramas, o doutor McDougall recomendou aos cientistas do futuro que repetissem o experimento muitas vezes antes de chegar a qualquer conclusão.

Se tivesse ouvido a poesia, o médico americano não teria perdido seu tempo pesando velhinhos. Dois mil anos antes, Lucrécio já dizia que, mesmo depois que o repouso da morte se apodera de uma pessoa, a matéria continua exatamente como antes.

"No momento em que a alma deixa completamente o corpo, o delineamento externo dos membros continua intacto, e não há nem a mínima perda de peso – como naquelas vezes em que o cheiro do vinho desaparece, ou o doce olor de um óleo perfumado desaparece do ar, ou o sabor sai de qualquer matéria."[54]

O impacto das ideias de Lucrécio e de seu antecessor Epicuro para o pensamento humano irá muito além da poesia ou do questionamento infundado de um médico americano sobre o peso da alma. O materialismo será a essência do pensamento científico assim que a Idade Média terminar e surgir aquilo que os historiadores chamarão de Renascimento, uma época em que a ciência será compreendida por grande parte da humanidade como nossa árvore mais frutífera.

Capítulo 12

A EVOLUÇÃO DA IDEIA DE ALMA

A ALMA ESTÁ ENCLAUSURADA NO CORPO E DESEJA SAIR. Seu destino é a libertação. Noutras palavras: a noção que está nos fundamentos das crenças mais difundidas do mundo, do cristianismo ao islã, também no espiritismo e mesmo entre pessoas não religiosas parte da ideia de que a alma é uma coisa que tem vida própria, e que no momento em que o corpo morre, quando a *prisão* se abre, ela se liberta e pode enfim seguir sua jornada por uma dimensão invisível aos olhos humanos.

Como chegamos a essa complicada certeza?

É possível imaginar que nossos antepassados estivessem encantados com as belezas que seus olhos viam nas florestas e nos rios, e tenham sentido que seus corpos eras obstáculos para uma existência plena.

Posso imaginar um diálogo, quem sabe, entre dois nabateus que se encontram no mercado ao fim de um dia quente e seco, depois de trabalharem duro, 12 mil anos atrás.

– Este diabo de carcaça me arrebenta! – reclama o agricultor.

– Concordo plenamente – responde o operário que esculpe edifícios nos rochedos de Petra. – Seria uma bênção a gente se livrar desta coisa que sente frio, envelhece e ainda fica doente!

– Bom mesmo era sair por aí como um pássaro, só a nossa essência voando pelas montanhas.

Imaginemos, apenas imaginemos… para tentar entender.

Certo é que em algum momento os humanos começaram a olhar para seus corpos mortais e ver neles um fardo que os impedia de desfrutar muito mais intensamente das maravilhas de que a alma seria capaz se… porventura… estivesse livre.

Seria mesmo incrível experimentar este planeta paradisíaco apenas com o que temos de essencial. Ou, conforme um pensamento mais recente, como seríamos evoluídos se não precisássemos carregar este corpo pesado e pudéssemos viajar livremente pelas galáxias!

Um dos primeiros registros do incômodo com as limitações impostas pelo corpo vem de Platão, com sua ideia de que somos uma *ostra* presa na concha.

E quem desafiaria a genialidade do grande filósofo?

Alguns séculos depois, quando se pensava que o fim do mundo era uma questão de pouquíssimo tempo, o apóstolo Paulo manifestou diversas vezes um incômodo parecido, pois sentia-se um "desgraçado" preso a um "corpo de morte", desejando resgate, explicando assim a razão maior pela qual os cristãos deveriam acreditar que morrer era uma "vantagem".[55]

Muito mais tarde, já depois da Idade Média, o inventor Leonardo Da Vinci olhou para nossa essência com um pensamento que, aparentemente, identificava alma e corpo como entidades distintas.

Quando criou seu *Homem Vitruviano*, Da Vinci apresentou nosso corpo como exemplo de proporcionalidade e perfeição, claramente encantado com aquilo que enchia de luz os olhos dos renascentistas. Era a ideia do ser humano como uma criação perfeita da Natureza, conforme disse também o Hamlet de Shakespeare: "que obra de arte é o homem!".

E assim, em diversos de seus escritos e desenhos, Da Vinci deu sinais de que seu pensamento era materialista. Inventor genial, com profundo desprezo por colegas acadêmicos que viviam citando pensadores antigos sem jamais desenvolver ideias autênticas, ele declarou que só a ciência era uma fonte confiável para o conhecimento.

Para a compreensão da anatomia.

E, também, da alma.

Não podemos dizer que ele fosse um materialista convicto, pois sempre considerou a existência de uma alma, ainda que metafórica, dentro da obra-prima da Natureza. Ao desenvolver as ideias que mais tarde foram reunidas em seu *Tratado de Pintura*, Da Vinci compreendeu que a percepção do mundo se dava aos humanos através do tato, do olfato, do paladar, da audição e, de maneira muito especial, da visão. Deu aos cinco sentidos o honorável título de "ministros da alma".

Um pensamento cristão?

Mas quem pode atestar que ele tivesse religião?

Sabemos que pintou arte sacra em capelas, e que conhecia profundamente o cristianismo. Fez, inclusive, menções diretas às relações do homem com Deus, e dizem que foi batizado.

Então...

Da Vinci mudava de opinião?

Para o inventor, os *ministros da alma* conduziam os *impulsos sensoriais* até o centro do cérebro (e os desenhos mostram que ele falava de uma parte conhecida agora como glândula pineal). Ali estava a origem de todo o nosso discernimento, onde o ser humano interpretava e julgava o que sentia.

Era ali que estava a alma de Leonardo!

"A alma aparentemente reside (...) no lugar chamado *sensus communis*, onde todos os sentidos se encontram, e não por todo o corpo."

Da Vinci procurava nas profundezas do cérebro uma resposta para a antiga questão dos gregos sobre onde residia a alma, sem sequer considerar a ideia de que seria feita de sangue, sêmem ou vapor. Antecipou-se à ciência que só viria alguns séculos depois para afirmar que a alma residia no lugar onde o nosso pensamento é processado. E essa moradia ficava num ponto bem específico, que o inventor chegou a indicar num de seus desenhos anatômicos, depois de dissecar alguns cadáveres.

Ao dizer que a alma não se espalhava "por todo o corpo", parece certo que Da Vinci nem cogitava a possibilidade de que a alma *não* estivesse no corpo: apenas procurava sua localização exata.

De maneira paradoxal, no entanto, ao falar de seu encantamento pelo olho humano, Da Vinci voltou à ideia grega, judaica e cristã de que a alma seria algo independente, e que estaria de certa forma *presa* dentro do corpo.

"Por causa do olho, a alma aceita ficar em sua prisão física, pois sem ele, tal prisão física é tortura."

Leonardo Da Vinci parece ter optado por não mexer no vespeiro da questão existencialista sobre a natureza da alma. Deixou muita coisa em aberto. Mas também deixou claro que nada do que lhe era imposto por alguma "autoridade" poderia ser aceito sem que fosse testado cientificamente. Para ele, se temos dúvidas até sobre o que nossos olhos veem, deveríamos nos questionar também sobre as coisas que nossos sentidos não podem perceber, "como a natureza de Deus, a alma e outras coisas sobre as quais existem controvérsias infinitas."

Mesmo que Da Vinci tenha preferido deixar o assunto em aberto, desde Epicuro, ainda nos tempos que antecederam Jesus Cristo, ouvimos também uma outra visão que defende que a alma *é* o corpo. Ou, como pensou o filósofo Demócrito, a ideia de que a alma *só existe no corpo.*

Foram muitos os que dedicaram suas vidas a nos provar que era tudo matéria, mas a ideia da alma que desencarna e se liberta no dia de nossa morte, a ideia de que existe uma outra vida depois desta... essa ideia se mostrou tão poderosa que permaneceu nas profundezas do inconsciente coletivo da humanidade.

Surgiu, nos séculos que se seguiram ao Renascimento, uma corrente filosófica que, como parece ter sido o caso de Da Vinci, afirmava o materialismo sem negar a existência da alma.

Mas como é possível ser materialista e acreditar em alma?

Uma coisa não é a negação da outra?

Materialistas não pensam que a alma é só uma questão de como os pulsos elétricos acontecem em nosso cérebro? Aliás, não preferem sempre a palavra *mente* para se referir a isso?

Bem...

Existem outros materialistas.

Galeno de Pérgamo, um conhecido médico romano do século I, entendeu que "mesmo que houvesse uma substância separada", a alma ainda seria uma "escrava" do corpo. Num tempo em que o Império Romano ainda não era cristão, o doutor Galeno concluiu que a alma adoece e morre. Defendeu que não era assunto para filósofos nem para religiosos e, sim, para médicos, como ele.

Foram inúmeros os intelectuais depois de Galeno que entenderam que a alma era realmente algo médico. Mas Sir Thomas Browne, no século XVII, continuou entendendo que alma e corpo eram entidades separadas, pois a carne era um "instrumento" da alma, e não "a alma em si". Os limites entre metafísica e Medicina na discussão sobre a alma foram cada vez mais se tornando frágeis, até que ficaram praticamente inexistentes.

Concluiu-se, enfim, que a ideia de alma por si só era um conceito "limítrofe", algo indefinido que rompia facilmente as fronteiras entre Ciência, Filosofia e Religião.

Entendeu-se que "médicos estavam na posição de modificar as qualidades morais e intelectuais da alma", pois foi ficando claro que a alma era dependente do estado em que se encontravam os órgãos do corpo de uma pessoa e, assim, a alma se modificaria conforme o ambiente e a alimentação.[56]

A realidade é que, nesse tema tão incerto e impreciso, houve todo tipo de opinião. Podemos dizer até mesmo que muita gente séria andou por aí dando palpites, chutes... Pois foram raras as vezes em que apareceu alguém com uma descoberta relevante e fundamentada sobre o que poderia ser a alma.

Já no século XVI começou-se a perceber que não era só o corpo que afetava a alma, pois a alma também afetava o corpo, aquilo que a Psicanálise deixaria claro mais tarde: que há males que nascem na mente e se transformam em problemas físicos, e que traumas psicológicos podem gerar até sintomas graves como a paralisia de membros.

E o materialismo conquistou ainda mais adeptos.

Ganhou força a ideia de que bastaria a Medicina resolver os problemas do corpo, pois "se o corpo estiver funcionando corretamente, a alma retornará ao seu estado normal". E é certo que isso gerou controvérsias que não foram nada gentis.

Quando foi definir o que era a *morte* em sua *Enciclopédia* de termos médicos, o francês Ménuret de Chambaud foi muito breve em sua descrição. Entendeu que esse assunto não dizia respeito à Medicina, pois a separação entre corpo e alma era um mistério que poderia ser "até mais incompreensível que sua união", e que isso era um "dogma teológico certificado pela religião". Portanto, "incontestável".

Tão irritado que estava com a invasão da Medicina numa área que entendia ser exclusiva da religião cristã, o autor da famosa enciclopédia chamou os médicos de "artistas sensuais". E um detalhe: Chambaud era médico.

Aos poucos, a Medicina foi preferindo falar em *mente* do que em *alma*, e assim buscou sair do campo da religião.

Antoine Le Camus, outro médico francês do século XVIII, defendeu que a Medicina deveria aperfeiçoar a mente através de suas ações no corpo.

"O remédio para os vícios da mente não é outro senão o remédio para os vícios do corpo", argumentou.

Ainda no século XVII, outro francês, o filósofo Guillaume Lamy, criou uma definição materialista de alma que, apenas pela beleza da imagem que nos sugere, merece registro. Para ele, a alma "flui do cérebro como rios" que depois adentram os "canais dos nervos".

Num documento que chamou de *Tratado dos Três Impostores*, o mesmo filósofo disse que a alma era uma matéria muito delicada, que estava sempre em movimento e que nascia do Sol.

Ao longo de todo esse tempo, a grande dificuldade para os materialistas que pensaram a alma como algo separado do corpo, assim como também para os espiritualistas, sempre foi explicar *como* essa alma interage com o corpo.

Ou seja...

Como o "fluido divino" diz ao cérebro o que deseja que o corpo faça?

Uma ideia para responder isso surgiu de um filósofo anônimo, que ao recuperar praticamente todo o pensamento materialista dos últimos dois milênios produziu um tratado contundente. Num panfleto clandestino chamado *A Alma Material*, o tal filósofo sem nome explicou que nossas ideias, nossos pensamentos, não eram nada além de "traços" que o espírito deixa no cérebro ao receber estímulos do mundo exterior.

Foi no século XVIII, num contexto de grande disputa, que surgiram esse e outros manuscritos clandestinos, especialmente na França, um país ainda muito católico, onde autores anônimos começaram a propagar ferozmente a ideia de que a alma era algo material e não espiritual, o que era grave heresia para os cristãos que mandavam no mundo ocidental. Aliás, tudo indica que a própria expressão *materialismo* nasceu no cristianismo, como uma severa crítica a quem não acreditava na imortalidade da alma.[57]

Capítulo 13

O FANTASMA PRESO NA MÁQUINA

O SURGIMENTO DA NEUROCIÊNCIA NO SÉCULO XIX começou a mudar novamente os rumos da discussão. Daí nasceu a ideia de que a alma era algo que servia para garantir o bom funcionamento do corpo, dando a este último um status superior na hierarquia. Isso levou estudiosos a concluir que os intelectuais do mundo estavam testemunhando uma "erosão da alma".

Nessa época, muitos intelectuais começaram a olhar para a filosofia grega como algo arcaico que não tinha suas bases num método científico confiável e que, como já tinha dito o romano Galeno, a alma era realmente um assunto para a Medicina. A própria Filosofia passou a usar de evidências médicas, como traumatismos e envenenamentos, para explicar sua crítica à ideia de que a alma humana era imortal.

A batalha foi brutal.

Espiritualistas acusaram os materialistas de serem gente sem alma e, portanto, as piores pessoas possíveis. Materialistas defenderam sua visão humanista e a beleza que existia numa matéria que, mesmo sendo perecível, tem inteligência e sentimentos.

Especialmente no tempo nervoso em que vivemos neste começo de século XXI, qualquer tentativa de afirmar uma ou outra visão produzirá uma batalha verbal espinhosa, potencialmente agressiva, eventualmente mortal. Basta ver como o biólogo Richard Dawkins é atacado violentamente nas redes sociais ao defender ao mesmo tempo a inexistência de Deus e a inexistência de uma alma imortal. Ele afirma, por exemplo, que a única forma de uma pessoa sobreviver à morte é pelas memórias que as outras pessoas têm dela.

Muito antes de Dawkins, o filósofo inglês Kenelm Digby disse que "não existe ato da alma sem a especulação de que fantasmas residem em nossa memória".

E essa ideia de fantasma dentro da memória…

Dentro da máquina…

Reverberou.

Com as máquinas fazendo parte indissociável das nossas vidas, do carro ao elevador, do trem ao computador, tornou-se cada vez mais comum a comparação do corpo com algo mecânico ou eletrônico. A comparação se enraizou tanto que *máquina* virou um sinônimo de *corpo*, e passou a ser usado frequentemente entre filósofos e médicos que discutiam a alma.

Um dos estudos mais influentes entre os pensadores contemporâneos nasceu em 1949, na Universidade de Oxford, na Inglaterra. O filósofo Gilbert Ryle estava cansado de ouvir as pessoas dizerem que havia uma coisa chamada alma e outra chamada corpo. Apelidou esse conceito que via como "falso, inteiramente falso" de "*dogma of the ghost in the machine*", em tradução livre, "o dogma do fantasma na máquina".[58]

Ryle estava impaciente com os religiosos e também com seus colegas filósofos a ponto de dizer que eles pregavam, sem questionar, o que chamou de "mentira filosofal". Talvez tenha dito isso em oposição à "pedra filosofal", que em outros tempos prometia a juventude eterna ao corpo humano perecível. O filósofo britânico estava furioso também com psicólogos, professores, religiosos e o que ele chamou de leigos, por aderirem sem questionamentos e sem comprovação à tal "doutrina oficial" que afirmava, nas palavras de Ryle, basicamente o seguinte: "Com as duvidosas exceções de idiotas e crianças de colo, todo ser humano tem tanto um corpo como uma mente. Mas depois da morte do corpo *sua mente pode continuar a existir e funcionar.*"

Tentando provar que há um erro filosófico nessa última parte, quando se afirma que a mente, ou o espírito, pode continuar a existir depois da morte do corpo, Ryle parecia esbravejar. Estava profundamente irritado com intelectuais que, mesmo admitindo dificuldades teóricas, seguiam afirmando que existe uma alma independente do corpo.

"Humanos não são máquinas, nem mesmo máquinas dirigidas por fantasmas… Humanos são humanos!"

Enquanto admitia que os acontecimentos da mente ainda não eram conhecidos e que nem era possível testemunhá-los, o doutor Ryle comemorava as descobertas do doutor Sigmund Freud, que havia revelado ao mundo a existência de pensamentos que aconteciam de maneira independente da vontade da pessoa: o *Inconsciente.*

Se existiam pensamentos que fugiam ao controle da alma, isso complicava ainda mais a discussão.

Mais tarde, já no nosso tempo, a ciência reforçou a validade das descobertas de Freud ao usar equipamentos de ressonância magnética para monitorar o comportamento do cérebro e identificar a existência – física – de redes neurais que atuam de maneira independente daquilo que chamamos de *consciente.* Ou seja, a ciência do século XXI afirmou que até o nosso pensamento inconsciente é um acontecimento físico, atômico, que se dá por meio de disparos de neurônios dentro do nosso cérebro.

Como me explicou a neurorradiologista Carolina Rimkus, pesquisadora da Faculdade de Medicina da Universidade de São Paulo (USP), temos algo chamado Rede de Modo Padrão, que funciona de maneira mais intensa em indivíduos com alta performance cerebral.

"Interessantemente", ela ensina, "essa rede diminui a atividade quando nosso cérebro exerce uma atividade consciente." Noutras palavras, podemos entender que grande parte da nossa inteligência se desenvolve justamente quando o nosso inconsciente trabalha.

De volta ao furioso Gilbert Ryle. A questão que precisava ser explicada era a mais básica de todas: "como um processo mental, como o desejo, pode causar movimentos físicos como o movimento da língua?".

Ryle propôs que seria perfeitamente adequado entender que "existem mentes... e existem corpos", mas quis deixar claro que "essas expressões não indicam duas espécies diferentes de existência".

Chocou-se frontalmente com Santo Agostinho.

Pois uma das ideias mais inovadoras do filósofo cristão do século IV foi a de que existe em nós a *vontade*, algo que determina a intenção da nossa alma e faz o corpo se mover em determinada direção. Como se ao "realizar uma vontade" a pessoa estivesse decidindo colocar algum de seus músculos em ação.

"Fazemos coisas que se não quiséssemos não faríamos."[59]

Seria a vontade o que nos levaria, ou não, a cometer um ato injusto. A questão é que Santo Agostinho não apresentou uma definição clara sobre as funções e a natureza da *vontade*. Falou de um ser humano que tem responsabilidade pelo que faz pelo simples fato de saber que existe.

Para disparar contra o santo, o filósofo do século XX usou um atirador.

Quis demonstrar que *vontade* não existe, e que essa ideia é só uma extensão do mito de que existe um fantasma encarnado na máquina. Ryle disse que, se vontade existe, isso significa que os "atos da mente" funcionam de maneira independente dos "atos do corpo".[60]

Quando se diz que ao apertar o gatilho de uma arma a pessoa o fez "intencionalmente", pressupõe-se que uma pessoa poderia apertar um gatilho "sem intenção". O que Ryle quer mostrar é que a pessoa pode não ter tido intenção de matar, mas sempre terá tido a intenção de apertar o gatilho, pois o corpo não tem vontade própria, e a mente não opera de forma separada dos músculos que foram acionados para dar o tiro.

O espírita Haroldo Dias Dutra compara nosso cérebro a um piano que precisa da alma para fazer música.

"O que é a alma? É um espírito que está com um piano, está com um aparelho de 86 bilhões de neurônios. Isso é a alma! A alma está tocando essas teclas aí."

A discussão filosófica promete ser ainda mais longa que um bolero de Ravel, e certamente as novas descobertas científicas servirão para afirmar, ou negar, a existência de uma alma que, chamada de espírito, faz música sem necessidade do corpo.

Apesar de seguir ouvindo uma bela música, chego ao fim dessa viagem pela história da alma fatigado, confesso. As abstrações que tais conceitos nos exigem são extremamente profundas, e muitas vezes as teorias não se sustentam sobre seus próprios argumentos, ou carecem de explicações, o que leva minha mente a entrar num certo *loop*, e isso só demonstra o quanto é complicado para nossa consciência pensar sobre o mistério ainda pouco explicado da nossa própria existência.

Termino esta parte com uma lembrança que me chega de maneira aleatória (duvido), de uma personagem da obra de José Saramago. Em *Memorial do convento*, Blimunda Sete-Luas tem poderes extraordinários que, sempre quando está de jejum, permitem que ela veja "o que está dentro dos corpos". Ela sai todas as manhãs para caçar "vontades" e, ao guardá-las em potes de vidro, consegue criar uma força motora suficientemente poderosa para emprestar movimento à máquina de voar inventada pelo padre Bartolomeu.

Saramago era um humanista ateu. É provável que não acreditasse em vontades. Mas com sua incrível imaginação nos fez sentir, de maneira mágica, o que aconteceria se o fantasma pudesse sair de dentro da máquina para experimentar outras formas de existência.[61]

É um retalho de bela ficção.

Mas o que não é?

Capítulo 14

A DIGITALIZAÇÃO DOS NEURÔNIOS

DEPOIS DE PASSAR MESES CONSECUTIVOS RECOLHENDO materiais para criar um novo ser, com uma fórmula científica que decidiu jamais revelar à humanidade, o doutor Victor Frankenstein finalmente conseguiu infundir a tão sonhada "centelha de existência" ao corpo imaterial que ele havia criado. Foi no tempo de um raio. O gigante abriu os olhos amarelos, respirou fundo e começou a tremer. Braços e pernas se agitaram. E assim nasceu a criatura assustadora que entrou para o imaginário universal como uma monstruosidade, algo imensamente indesejável que pode surgir quando humanos decidem criar humanos.

Além disso, o Frankenstein era um monstro sem alma.

Parece-me que no dia em que ele nasceu na imaginação da escritora Mary Shelley, foi fruto também de um pensamento científico que começava a ganhar força naquele começo de século XIX: o ser humano não era uma obra de Deus, mas uma evolução natural que tinha suas origens em outros animais.

As ideias de Erasmus Darwin sobre as mudanças que tinham acontecido ao longo de milênios e milênios nas espécies animais já começavam a levantar a suspeita de que o ser humano não era uma criatura resultante do barro e que, muito provavelmente, tinha chegado a ser o que era por causa de um processo até então desconhecido, que começou a ser chamado de *evolução das espécies*. Algo que, quatro décadas depois de Erasmus, seu neto Charles demonstraria de maneira ainda mais contundente.

Mesmo antes de Charles Darwin, os primeiros pensamentos evolucionistas serviam para sustentar uma ideia cada vez mais propagada de que a criatura, *não* tendo vindo diretamente de Deus, poderia ser superior a qualquer coisa que a tivesse originado. E isso entrava em choque com a noção de que o homem *tinha* que ser inferior ao seu criador. Abria caminho para pensarmos que somos capazes de produzir novos seres dentro dos laboratórios de anatomia, e que esses seres podem ser superiores a nós, até mesmo em inteligência.

No entanto, mais relevante que isso para o futuro da alma era a ideia de que *não existe alma*.

Para as mentes científicas do século XIX, não havia mais alma ao menos na concepção cartesiana em que a humanidade pareceu *sempre* acreditar: a de que somos formados por um corpo e que esse corpo se movimenta a partir de um espírito que está encarnado nele.

A criatura que nasceu no laboratório de Victor Frankenstein era uma abominação, um aborto, como disse o próprio monstro. Um ser de feiura inigualável, que por isso gerava repulsa em todos que o encontravam, mas que tinha inúmeras semelhanças com seu criador. E a primeira era o fato de que tanto Victor como seu monstro eram corpos sem alma. Tinham sentimentos, mas eles vinham do cérebro, apenas do cérebro.

Não foi por acaso que, em 1994, quando fizeram um filme com a proposta de seguir fielmente a obra de Shelley, roteiristas de Hollywood colocaram na boca do monstro interpretado por Robert de Niro palavras ao mesmo tempo sentimentais e materialistas.

– Eu tenho amor em mim de uma forma que você não é capaz de imaginar, e ódio de uma forma que você não acreditaria. (...) Você me deu essas emoções, mas não me ensinou como usá-las. Agora duas pessoas morreram por nossa causa. Por quê?

– Algo que eu não compreendo estava acontecendo em minha alma – o criador interpretado por Kenneth Branagh respondeu.

– E a *minha* alma? Eu tenho uma? Ou essa parte você deixou de fora?

Mais que com Victor, a fúria do monstro deveria ser com a autora do livro, sua verdadeira criadora. Mary Shelley não lhe deu alma porque, muito provavelmente, não acreditava que pessoa alguma tivesse uma alma.

Ainda que a discussão sobre a existência ou não de uma alma que se separa do corpo persista até o nosso tempo, entre cientistas parece cada vez mais improvável que sejamos alguma coisa além de carnes, ossos, nervos, vísceras e um cérebro incrível. Nesse contexto, os conceitos de alma e espírito costumam ser trocados pelas ideias de mente e consciência.

É a *consciência* humana que os doutores Frankensteins do nosso tempo querem incutir nos corpos que provavelmente lhes serão oferecidos por laboratórios de biogenética ou por fábricas de androides. Para imaginar esse futuro, no entanto, deixo conscientemente de lado todo o questionamento ético que existe, e que é relevante, em torno dessas possibilidades.

Assim, livres para imaginar o futuro, nos surge uma questão intrigante: se os cientistas materialistas estiverem certos, e a consciência for totalmente dependente do corpo, como será possível que se cumpra a profecia daqueles que dizem que um dia poderemos transferir nossa consciência para um computador?

O que costuma ser apresentado em inglês como "download de consciência" ou "upload da mente" é a ideia de que um dia teremos a capacidade de transferir tudo o que há dentro do nosso cérebro para um meio digital. Isso envolve, claro, as ideias de imortalidade, superpoderes e múltipla existência: existirmos em mais de um corpo ao mesmo tempo.

Dois Rodrigos?

Dois de você também, leitor.

Uau!

Recuperemos o fôlego.

Esse dia, se vier, está distante.

Mas… podemos pensar sobre ele?

Afinal, nossa maior qualidade, aquilo que nos fez vencer na floresta e o que nos torna humanos, é nossa capacidade de imaginar. Somos seres que inventam e, como nos mostrou o *Sapiens* de Harari, isso foi fundamental para a nossa sobrevivência: a ficção na forma de crenças religiosas e também na forma de nacionalismo nos deu a coesão social necessária para vencer os outros primatas e multiplicar nossa existência.

A ideia de transferir a mente de alguém para uma máquina foi apresentada pela primeira vez em público… de novo, numa ficção científica. No conto *O túnel debaixo do mundo*, o escritor americano Frederik Pohl criou uma fábrica em que os "padrões de comportamento" da mente humana podiam ser transferidos para as máquinas para que elas pensassem por conta própria.

Na fábrica, cada máquina era controlada por uma espécie de computador que reproduzia "a real memória e a mente de um ser humano". Reconhecendo o quão incômodo era aquilo, o dono da fábrica explicava que não se tratava de "um negócio-Frankenstein de sair por aí roubando túmulos e implantando cérebros em máquinas". Era apenas uma questão de "transferir os padrões de comportamento das células do cérebro para células de válvulas termiônicas".

Válvula termiônica era um componente eletrônico usado na fabricação de aparelhos de tevê, uma tecnologia de ponta naquela época, e seria o mesmo que um escritor de hoje dizer que nossos pensamentos podem ser transferidos para um cartão de memória de celular.

Meio século mais tarde, num filme que marcou a história da ficção científica, as irmãs Lana e Lilly Wachowski criaram um cenário em que as pessoas usavam o cérebro para se conectar a um mundo virtual controlado pelas máquinas, onde tudo o que acontecia tinha impacto sobre seu corpo real. O que vemos em *Matrix* é uma transferência de dados instantânea entre a mente humana e uma incrível rede de computadores inteligentes.

Mais uma vez…

A ciência da ficção virou sonho de cientista real.

E ganhou força recentemente a ideia de que podemos estar muito perto de realizar um upload de consciência, ou seja, a transferência de tudo o que está em nosso cérebro para um suporte digital, como um celular ou um supercomputador. Certamente estamos muito mais perto de qualquer coisa do que estávamos quando a ideia surgiu pela primeira vez nos anos 1950, como afirmam diversos futuristas.

Mas…

Realmente estamos perto de algo?

O doutor Hans Moravec, que foi diretor do Laboratório de Inteligência Artificial da Universidade Carnegie Mellon, contou ao físico Michio Kaku como imagina que será feita a transferência da informação contida num cérebro humano para um corpo robótico. Ao contrário dos imortalistas que precisam esperar a pessoa morrer para conservá-la em nitrogênio e depois pensar no que fazer com seu cérebro, o doutor Moravec imagina que essa troca de corpo será feita ainda com a pessoa consciente.[62]

Precisamos imaginar a cena.

Estamos num laboratório, ou talvez num centro cirúrgico de um hospital especializado em mudança de corpos. O paciente se deita numa maca ao lado de outra maca onde está deitado o corpo do androide que vai recebê-lo. Um cirurgião auxiliado por um equipamento robótico extrai os primeiros neurônios do cérebro do paciente (que está acordado e plenamente consciente durante todo o processo). Esses neurônios são duplicados por meio de transistores inseridos na "mente" ainda vazia do androide.

A mente do paciente está ligada a esses transistores por meio de fios e por isso jamais deixa de ter tudo de que precisa para funcionar normalmente. Pouco a pouco, o cérebro transfere seus neurônios para o androide.

O paciente continua consciente, mas quando o processo termina ele descobre que sua consciência agora vive noutro corpo. Ah, sim, o paciente está jovem e bonito como sempre sonhou. E seu velho corpo decadente será gentilmente oferecido aos vermes da terra... ou incinerado numa fornalha... para nunca mais!

Quem é o ficcionista?

A escritora Mary Shelley, quando cria seu monstro Frankenstein sem memória e sem alma? O escritor Frederik Pohl com seu método de transferir consciências para células de válvulas termiônicas? Ou o cientista Hans Moravec, que imagina o dia em que será possível transferir os neurônios de um humano biológico para um androide fabricado em laboratório?

Se já podemos pensar no dia em que uma cabeça costurada a um corpo que lhe é estranho irá implorar por amor, se podemos imaginar que o transplante de cabeças é uma questão de alguns anos... *não* podemos

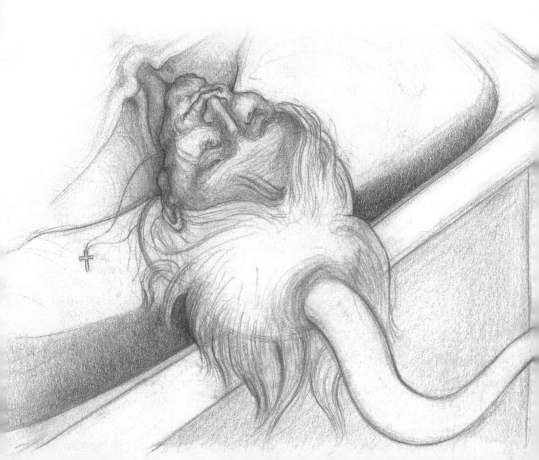

afirmar categoricamente que as ideias de "upload de mente", "download de cérebro" ou "transferência de consciência" sejam de alguma forma realizáveis.

Até porque a ideia de desmaterializar nossa consciência para transformá-la em dados digitais pressupõe uma compatibilidade não comprovada entre o funcionamento de um ser humano e o de um computador.

A realidade é essa…

Tem sido assim desde que o humano é humano.

Da mesma forma como na Revolução Industrial de 200 anos atrás os futuristas fizeram analogias do corpo humano com as máquinas movidas a vapor, agora, na Revolução Digital, uma parte da humanidade acha possível simplificar nossa complexa existência e compará-la com a tecnologia que mais nos impressiona.

E é claro que muita gente discorda disso.

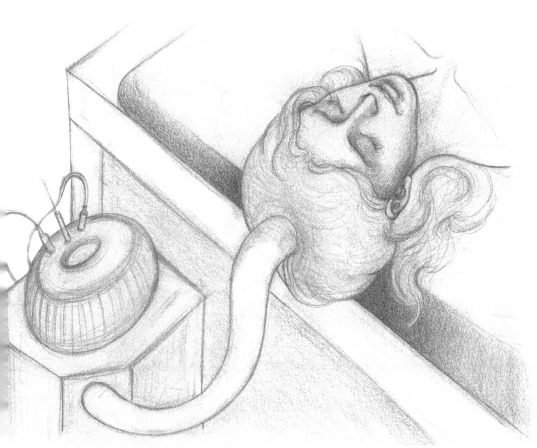

Ainda que veja nosso cérebro como "um aparelho sofisticadíssimo", o espírita Haroldo Dias Dutra afirma que a ideia de recriar a mente humana num computador é uma fantasia.

"A pessoa acha que se eu construir um cérebro exato, eu automaticamente ganho de brinde ele funcionando. Não!"

Dutra usa seu conhecimento de Neurociência, tema de um mestrado, para dizer que até acha possível "criar a estrutura cerebral" para fazer reparos em pessoas com doenças.

Mas como seria se fôssemos recriar a alma?

"O pianista? Esse pianista é fruto de milhões e milhões de anos de evolução. Esse ser inteligente e eterno vem aprendendo há milhões de anos."

Há ainda muitas fantasias, é verdade.

Sonhos verdadeiramente fascinantes.

E incertezas cortantes.

Mas, mesmo distante, a ideia de fazer uma transferência da nossa existência para alguma outra coisa que nos permita seguir vivendo após a decadência natural do corpo original é uma das conversas preferidas entre cientistas, especialmente aqueles que construíram suas carreiras em empresas inovadoras de internet onde sobra dinheiro e tudo – realmente tudo – parece possível. Há também cientistas que não fazem outra coisa senão prever as maravilhas do futuro, ganhando dinheiro e fama com isso.

Futurólogos?

Videntes?

Falsos profetas?

Tudo indica que vai demorar muito até que os transistores (os descendentes das válvulas termiônicas) fiquem pequenos o suficiente para não nos obrigarem a ter um cérebro artificial tamanho elefante. Por isso, outra possibilidade imaginada pelos futuristas é transferir nossa mente não para outro cérebro, mas para um supercomputador que será o hospedeiro dessa consciência digital, a partir do qual controlaremos corpos que poderão estar distantes, até mesmo noutro país, planeta ou galáxia.

E assim, seremos puro *software*.

As criadoras de *Matrix* imaginaram o dia em que nossos corpos perecíveis serão conectados a máquinas que nos permitirão viver outras vidas, noutras dimensões. Ou talvez nesta mesma dimensão terrena, mas, ainda assim, adormecidos numa central, como numa *lan house* onde cada um escolhe sua cápsula para deixar o corpo descansar enquanto sua mente vive outras vidas, imaginando que iremos controlar corpos jovens e substituíveis, como nos videogames.

Nos sonhos dos cientistas que acreditam que esse *é* o futuro, da mesma maneira como podemos alugar um terno ou vestido para ir a um casamento, alugaremos corpos conforme a nossa necessidade: se vamos escalar uma montanha, um corpo leve, de pernas musculosas... Se vamos viajar ao Polo Norte, por que não levar um corpo peludo e de cabelos longos, com um pouco mais de gordura para nos proteger do frio?

Ou será que serão corpos robóticos e não sentiremos frio?

Algo me diz que, sem as sensações físicas, deixaríamos de ser humanos. Mas...

Espere!

E se for um desejo nosso deixar de sermos humanos para vivermos num mundo de espíritos... ou para nos tornarmos uma outra espécie... ou ainda uma outra *coisa* para a qual ainda não inventamos um nome?

É possível pensar que um dia a percepção que temos da nossa própria existência e do ambiente que nos abriga será completamente diferente da que temos atualmente. E que viveremos num tempo em que já não será necessário sentir alguma coisa fisicamente para sentir essa mesma coisa em nossa alma, consciência, essência... ou, quem sabe, algum termo ainda não inventado, como *digiconsciência* ou, sabe-se lá... *natureza-digital*.

Esse novo ser poderá ora estar vivo ora adormecido.

E, sendo pura energia, poderá satisfazer imensamente suas vontades (não muito humanas), permitindo-se chamar de *vida* essa nova forma imaterial de existência.

De maneira geral, os engenheiros de computação que apostam num futuro de almas digitalizadas veem *apenas* duas barreiras principais à transferência da nossa consciência para um supercomputador: limitações tecnológicas e a necessidade de inventar teorias que nos permitam realizar o upload de consciência.

Ora...

Se não existem teorias, estamos mais próximos de quê?

Ou a diferença é que agora com tanta computação a nossa volta essa ideia aparentemente impossível parece menos estranha?

O fato de estarmos ouvindo falar disso há mais de 70 anos, e vendo filmes incríveis que fazem a transferência de consciência parecer possível... bem, isso não é garantia alguma.

Num projeto apresentado por estudantes da Universidade Stanford, dentro da disciplina Computadores, Ética e Política Pública, chegou-se a um cálculo que sugere que para armazenar apenas um exemplar de cérebro humano seria preciso fabricar uma rede de computadores com **100.000.000.000.000.000.000.000.000.000.000.000** de bytes. É bem mais que o zettabyte de outros cálculos que vimos.[63]

Com a tecnologia atual?

Impossível.

Nem no supercomputador mais potente da IBM ou da China é possível processar um volume tão grande de informações em tempo razoável. E os estudantes de Stanford que se debruçaram sobre o tema também notaram que as interfaces para conectar cérebros e máquinas progrediram muito lentamente desde que surgiram, em 2002, quando pela primeira vez um implante de chip permitiu a uma pessoa cega ter uma visão parcial das coisas.

Sabemos que um paralítico andou na França e que um macaco americano fez um robô japonês se mexer. Algumas outras coisas interessantes aconteceram e vão acontecer. Mas ainda é muito pouco quando pensamos que para haver uma transferência da nossa consciência para uma rede de computadores seriam necessários equipamentos enormes e invasivos que, no estágio tecnológico atual, causariam danos irreparáveis aos tecidos do nosso cérebro.

Vamos resolver esses problemas técnicos?

É muito provável.

Vamos transferir consciências para computadores?

Quem responder categoricamente será um vidente com uma bola de cristal nas mãos.

Pois não basta inventar mais e mais tecnologia.

Muitos cientistas com quem conversei antes de escrever este livro se mostraram profundamente céticos quanto à possibilidade de existirmos fora do meio físico em que nossa consciência se construiu.

Ou seja…

Sem cérebro.

Coração.

Intestino…

Sem as nossas células todas…

Aparentemente, não existimos.

O cientista biomolecular João Pedro de Magalhães acredita que um dia será possível *copiar* mentes humanas ou *simular* nossa consciência num computador, mas descarta a possibilidade de um dia fazermos transferência de tudo o que está num cérebro para recriar aquela pessoa digitalmente. O doutor Magalhães entende que "a mente humana tem uma base biológica e material que nós não conseguimos dissociar do cérebro humano".

O neurocientista André Fenton acredita que nunca faremos essa transferência de dados entre a mente humana e um meio digital porque não basta reproduzir nossos neurônios.

"Há literalmente uma quantidade infinita de padrões que podem produzir um André Fenton. É quase platônico: nós não temos acesso aos padrões em si."

Seria preciso recriar absolutamente todos os padrões, e as interações históricas que ocorreram entre os nossos neurônios, para que o ser digitalizado fosse o mesmo ser de carne e osso.

"O que eu penso que talvez seja possível é chegar a algo similar ao que uma pessoa *poderia ter sido*", diz Fenton. "Uma cópia de alta qualidade!"

É o argumento materialista baseado em evidências científicas que entra em choque com a antiga ideia de que existe uma alma independente do corpo e, ao mesmo tempo, com a *nova* ideia de que é possível separar a consciência e colocá-la num outro suporte físico.

Afinal, não é o mesmo princípio?

Futuristas que afirmam que um dia será possível transferir nossa consciência para um meio digital entendem que essa consciência, alma ou espírito pode existir de maneira independente do corpo. E é com esse pensamento que volta também a ser discutida como possível e, mais ainda, próxima, a ideia de que poderemos nos tornar imortais. Seria uma imortalidade da consciência… que nos faria livres, sem que precisássemos carregar sobre os ombros esse corpo perecível que nossas mães e pais nos deram.

Mas, como sabemos, o futuro da alma é algo que podemos imaginar com base em ciência e reflexão profunda, mas sem grandes promessas de acerto. Pensando que eventualmente as barreiras técnicas e biológicas serão superadas e que será, um dia, possível transferir tudo o que há em nossa mente para um computador… qual será o Frankenstein que aparecerá na nossa matrix?

Nós… ainda seremos nós?

Ou, como imagina Fenton, apenas a cópia perfeita do que fomos?

Em 1987, o britânico Derek Parfit publicou pela primeira vez o que ficou conhecido como *Paradoxo do Teletransporte*.[64] Propôs que nos imaginássemos entrando num teletransportador.

A máquina nos faz dormir.

Escaneia a nossa composição molecular.

E envia nossos dados para Marte na velocidade da luz.

Genial!

Uma ideia excitante…

Rumo ao planeta que queremos colonizar!

Então, ainda pelo Paradoxo do Teletransporte, quando nossos dados chegam a Marte, uma outra máquina faz o trabalho de recriação. Usa átomos que estão armazenados por lá… carbono, hidrogênio… para criar um corpo exatamente igual ao que ficou na Terra (aquela coisa velha que será destruída).

A questão filosófica vem a seguir.

A pessoa que surgiu em Marte é a mesma que estava na Terra?

Parfit imagina que ao despertar no novo planeta, com o novo corpo, estaríamos nos sentindo como se fôssemos nós mesmos, teríamos inclusive a lembrança de entrar na máquina de teletransporte para fazer a viagem.

Mas *eu* seria *eu* mesmo?

Um tempo depois, uma atualização no equipamento faz com que não seja mais necessário destruir o corpo que ficou para trás. Assim, começam a surgir cópias de mim. E todas elas lembram de tudo o que vivi até o momento de entrar no teletransportador.

Quem serão essas pessoas afinal?

Se todas elas pensam…

Todas elas existem?

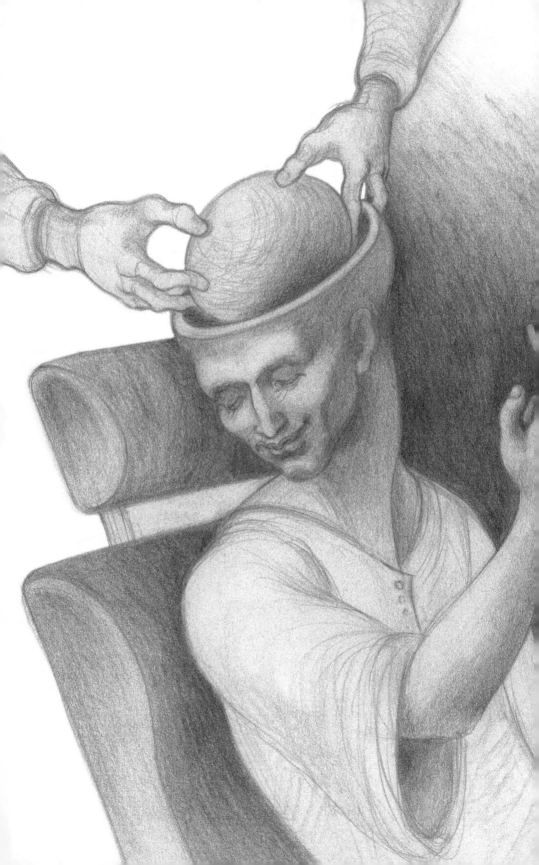

QUANDO FORMOS HOLOGRAMAS, DESEJAREMOS COMER CHOCOLATE?

Capítulo 15

FÁBRICA DE VESTIMENTAS PARA ESPÍRITOS

SEM SABER AINDA SE USARÃO UMA CÓPIA BIOLÓGICA do nosso cérebro ou se será melhor criar um cérebro artificial para receber nossa existência por meio de uma transferência de arquivos, cientistas são confrontados com a necessidade de fabricar corpos humanos. Assumem um papel antes só atribuído a Deus.

Se os planos se concretizarem conforme os sonhos mais ousados, veremos surgir um novo conceito de corpo. Serão, em certo sentido, *vestimentas* que receberão nossas consciências depois que elas encontrarem meios de abandonar suas velhas roupas, na esperança de viver eternamente – ou, pelo menos, viverem bem mais que os 122 anos registrados como recorde de longevidade na história de um ser humano.[65]

Mais e melhor.

Com a energia de um adolescente?

Dizem que até mil anos![66]

Interessante...

Mas com que *roupa*?

Geneticistas estão aprendendo a "editar" o DNA humano para corrigir problemas. E, enquanto fazem essas correções, descobrem que podem fazer também, digamos, melhorias.

Imaginamos o diálogo entre médica e paciente, em 2031.

– Então o senhor quer que eu edite seu DNA?

– Isso, doutora. Quero ficar mais inteligente...

– Entendo.

– Não, a senhora não entende, porque a senhora já é inteligente! – diz o paciente, nervoso. – Eu não consigo saber quanto é 2 + 2 sem usar a calculadora do celular.

– Entendo.

– Não, a senhora não entende! Não sei fazer nada sem isso! – O paciente mostra à doutora um celular todo arranhado e com vidro quebrado. – Preciso de mais memória! De mais capacidade de processamento! A senhora me entende agora? Preciso de uma solução ainda hoje!

A médica poderia dizer que começaria imediatamente, que as novas técnicas permitem, inclusive, que ela manipule o DNA ali mesmo no consultório, e de tal forma que se quiser ampliar sua inteligência não será problema algum. Poderia até criar conexões novas entre os lobos frontais do cérebro e dar a ele uma dose extra de memória. Mas a doutora do futuro tem uma fila enorme de pacientes querendo editar seus genes, olha para o relógio lembrando que seu tempo é curto e, então, cansada da antipatia deste paciente, conclui:

– O senhor pode resolver isso sozinho.

– Impossível! Estou lhe dizendo, não sei quanto é 2 +...

– Saindo aqui do consultório, à direita, tem uma loja. Diga à atendente que você quer comprar um celular mais moderno.

– Como?

– Próximo!

Outra função incrível dessas alterações de DNA é a que vem sendo estudada pelo cientista biomolecular João Pedro de Magalhães, na

Inglaterra. Ele pretende usar a manipulação genética para estender nossas vidas e nos dar também mais alegrias quando chegarmos a idades atualmente ditas avançadas, sem que nos cheguem também as artrites, dores disso, doenças daquilo... sem que ninguém precise nos chamar de idosos.

Já estão em desenvolvimento biotecnologias destinadas a desacelerar o envelhecimento. De certa forma, algo como o *elixir da juventude*, que a lenda popular conta que foi inventado pelo escritor-alquimista Nicolas Flamel, e serviu de inspiração também para o primeiro livro do bruxo Harry Potter, em que a *pedra filosofal* é o centro de uma disputa que envolve imortalidade e almas.

Com a medicina regenerativa, poderemos adiar a velhice, mas é possível também pensar que os médicos que atualmente regeneram células poderão regenerar órgãos humanos para transplante e, mais adiante, corpos inteiros.

O método é parecido com o que recria naturalmente o rabo cortado das largatixas.

Ou de maneira ainda mais impressionante: como a lesma marinha *Elysia marginata*, que dissolve o tecido de seu pescoço para cortar o próprio corpo quando descobre que ele está doente. Depois de alguns dias perambulando pelo mundo das algas, alimentando-se como se nada tivesse acontecido, aquela cabeça solta começa a ganhar outro corpo e, uma semana depois, um novo coração já começa a bater dentro dele.[67]

É um processo lento como se espera de uma lesma.

Mas encantador.

Lembra alquimia.

Mágica.

E se for com humanos?

Um sonho?

A lesma descoberta em 2021 pela doutora Sayaka Mitoh pode ensinar aos cientistas um modo de fazer com que nós também sejamos capazes de recriar nossos corpos. É possível. Mas há um outro caminho, por enquanto, digamos, mais ao alcance das mãos.

Imaginemos!

Num futuro não muito distante...

Um grave acidente faz com que uma certa pessoa perca os movimentos de braços e pernas. A medula foi destruída de maneira irreversível. Ela quer voltar a caminhar como antes e procura um tratamento médico altamente avançado. Células retiradas de sua cabeça foram clonadas.

Algumas semanas depois, em consequência de um processo de aceleração de crescimento, um novo corpo adulto está ganhando forma dentro de algo tão simples como um saco plástico recheado com um líquido salgado, um útero artificial. Os cientistas reconstruíram o corpo, suas novas *roupas*, que são exatamente como o corpo da pessoa antes do terrível acidente. Por uma questão de coerência biológica, esse corpo terá uma cabeça, mas uma cabeça inútil com um cérebro que não funciona.

Então, numa cirurgia complexa, a cabeça do paciente é transplantada para as suas novas vestimentas.

Ou não...

Esse talvez seja um processo muito doloroso e de difícil aceitação conforme os princípios éticos da humanidade. E assim, os médicos desistem de cortar a cabeça do clone!

Procuram outro método...

É possível imaginar que tenham criado um novo corpo, mas por uma edição no DNA conseguiram criá-lo com um cérebro que não funciona direito. É uma página em branco, sem memórias nem capacidade de processamento. Retirar aquele cérebro malformado será, na realidade, como salvar uma vida. E ali, dentro daquela caixa craniana fabricada em laboratório, vão agora encaixar a consciência do paciente acidentado.

Dá arrepios só de pensar!

Pode ser aterrorizante, mas ainda é só uma ideia do que *pode* vir a existir no futuro, se desejarmos seguir o que está na mente de alguns cientistas.

Enfim, a cirurgia começa.

Os médicos abrem o crânio do clone.

Um neurocirurgião retira o cérebro sem função e encaixa ali dentro, de maneira incrivelmente exata e perfeita, o cérebro que acaba de deixar seu antigo corpo, e seus problemas físicos.

É verdade…

Estamos no limite entre a pesquisa e a ficção científica.

Sabemos, no entanto, que as duas muitas vezes se encontram.

Faz quase trinta anos que cientistas da Universidade de Edimburgo clonaram o primeiro mamífero. Para fazer a ovelha Dolly, os doutores Campbell e Wilmut usaram células adultas. E a ovelha viveu por seis anos e meio, até que seus criadores resolveram fazê-la descansar em paz. Sofria de grave artrite e tinha câncer nos pulmões, algo bastante comum em ovelhas.

Uma ovelha pode viver até 12 anos e, na época de sua morte, houve especulações sobre a possibilidade de que Dolly tivesse nascido já com idade avançada por ter suas células copiadas de uma ovelha adulta. Daí ter morrido aos 6. Mas os cientistas jamais reconheceram qualquer relação entre a vida curta do primeiro mamífero clonado e o procedimento laboratorial que lhe deu a vida.

A geneticista Mayana Zatz lembra que cientistas fracassaram na tentativa de clonar cachorros e afirma que estamos ainda muito distantes de um clone humano. Por enquanto, as pesquisas seguem na direção da longevidade. A doutora Zatz faz clones de porcos e espera que de sua pesquisa nasçam órgãos saudáveis que um dia possam ser transplantados em humanos sem que haja rejeição. É um esforço tremendo e, de 200 embriões, apenas 5 ou 6 conseguem nascer. Mas os cientistas, como as lesmas marinhas, não trabalham com pressa.

Questões éticas novamente à parte.

Os porcos podem nos oferecer peças de reposição.

Seriam, afinal, elixires suínos da juventude.

Um desafio e tanto.

Mas…

E se resolvermos criar um ser humano inteiro em laboratório?

A doutora Zatz conhece a técnica que poderia clonar um humano.

Mas…

"Não acredito que vingue."

De fato, a questão é vingar.

E, mais que tudo, é preciso que isso venha um dia a *vingar* como ideia socialmente aceita. Questões éticas e religiosas bloquearam muitas pesquisas com células-tronco (porque vêm de embriões humanos) e também representam sérios entraves à criação de um clone humano.

Mas, se por um instante pensamos só em ciência, a grande questão é compreender o momento certo de inserir as células adultas num óvulo para que elas possam crescer e gerar uma nova vida. E, sim, tudo indica que, *tecnicamente*, a clonagem humana é possível.

Indo mais longe.

Escrevendo-se um novo episódio do Gênesis.

Um hálito de vida faz nascer o primeiro clone humano.

Esse clone…

Será um *duplo* da outra pessoa?

A doutora Zatz lembra que nós já conhecemos muito bem os clones humanos: irmãos gêmeos são clones. Mas, mesmo quando nos parecem exatamente iguais… não são. E, claro, não são a mesma pessoa.

Lembro-me com afeto de dois amigos de infância, Marcus e Max, que são imensamente parecidos, inclusive em suas inteligências e modos gentis. Chegam a sonhar os mesmos sonhos e sentem coisas muito parecidas, mesmo quando estão a quilômetros de distância um do outro.

Quando se pensa em criar um gêmeo sem memórias e sentimentos para servir apenas como hospedeiro para o cérebro que lhe forneceu as células, o primeiro impacto é assombroso: estamos criando uma vida para destruí-la? Não sabemos, no entanto, quais serão os argumentos e contra-argumentos éticos que surgirão no futuro. E o que surge, do ponto de vista apenas científico, são duas possibilidades.

A primeira, é usar o corpo clonado apenas para receber o cérebro da outra pessoa. Seria um procedimento complicadíssimo do ponto de vista ético e talvez jamais seja aceito.

A outra possibilidade, menos dolorosa, é tentar usar tecnologias digitais que ainda precisam ser desenvolvidas para transferir a consciência da pessoa, digamos, *original*, para o gêmeo criado em laboratório, a *cópia*. E assim não haveria nenhuma destruição no corpo gêmeo clonado. O gêmeo-cópia apenas receberia todas as informações existentes nos mais de 80 bilhões de neurônios do gêmeo-original que, depois de tomar consciência de seu novo corpo, autorizaria os médicos a deixar suas velhas vestimentas descansarem em paz.

Inúmeros cientistas respeitáveis com quem conversei demonstram enorme ceticismo com relação à ideia de que um dia poderemos transferir a consciência de alguém para um meio biológico ou digital e pensam que seria mais complexo ainda querer depois duplicá-la para um outro corpo.

É uma questão de incompatibilidade.

O doutor João Pedro de Magalhães entende que a mente humana tem uma base biológica e material "que nós não conseguimos dissociar do cérebro". Isso nos torna, para sempre, *aprisionados* ao corpo. Ou, invertendo o ponto de vista, será que nossa única liberdade possível é justamente viver no corpo que temos?

Mayana Zatz lembra de um dito comum entre os cientistas.

"Tudo o que você consegue imaginar, você vai conseguir fazer."

Ela, no entanto, não consegue imaginar esse futuro.

E os que imaginam?

São futuristas?

Transumanistas?

Otimistas?

Estão antevendo o futuro da ciência ou apenas criando mais uma religião cientológica?

Ainda nesse cenário, o campo em que estamos avançando mais rapidamente para a criação de seres que ao menos se pareçam com os humanos é a robótica. E aí quase tudo o que nossos antepassados imaginaram está acontecendo.

Capítulo 16

IDEIAS INCRÍVEIS PARA 2045

FAZ MAIS DE CEM ANOS QUE A FICÇÃO CIENTÍFICA imagina o momento em que as máquinas serão suficientemente avançadas para assumirem tarefas humanas. Acho que o primeiro robô doméstico realmente popular que vimos foi um aspirador de pó redondo que no começo dos anos 2000 começou a limpar casas e apartamentos sozinho, locomovendo-se de maneira tão inteligente que chegamos a pensar que fosse de fato inteligente.[68] Meu primeiro robô é um submarino que limpa o fundo da piscina, também parecendo inteligente, pois sobe as paredes e faz caminhos tão alternativos que temos a impressão de que há um cérebro ali dentro pensando na melhor maneira de aspirar as folhas do outono.

É claro que esses robôs utilitários estão longe do que vemos nos laboratórios onde humanoides eletrônicos realizam inúmeras tarefas e usam a inteligência artificial, no estágio ainda inicial em que está, até para falar com os visitantes.

E se pudermos transferir nosso cérebro para um robô?

Um robozinho feito de metal inoxidável que substitua essa nossa armadura frágil tão sujeita a acidentes e outras fatalidades.

Querendo ser imortal, o bilionário russo Dmitry Itskov montou um projeto enorme, envolvendo inúmeros cientistas, com o objetivo de se transformar num holograma em 2045.

O que é uma pessoa-holograma?

Deixa de ser uma pessoa, certamente.

Torna-se uma consciência digital.

Um semideus?

Acreditando que será possível fazer uma decodificação completa da nossa mente, transformá-la em dados digitais e depois implantar isso no suporte físico que bem entendermos, Itskov imagina que não precisará mais de um corpo para experimentar o privilégio de estar vivo.

Em certo sentido, seria o começo da viagem da alma pelas galáxias, aquela em que embarcaríamos em feixes de raios laser para conhecer outros planetas.

Mas antes de transformar seu criador num holograma, o projeto Avatar pretendia já em 2020 ter criado uma cópia robótica do corpo humano. Esse avatar robótico deveria ser controlado por uma interface cérebro--computador, uma tecnologia que está em desenvolvimento, mas ainda distante. Esses avatares deveriam estar sendo usados em missões perigosas demais para um ser humano (imagino que uma boa ideia seria experimentar os robôs incorruptíveis, por exemplo, como alternativa para enfrentar traficantes de drogas nos morros do Rio).

Mas, por enquanto...

Nem sombra desse Robocop.

Em 2021, enquanto meus neurônios disparam ordens para que meus dedos digitem estas palavras, não há no planeta qualquer sinal de existência de um corpo robótico que seja uma réplica perfeita do nosso corpo corruptível e, muito menos, que possa ser controlado com a força do pensamento de um humano.

Aceitemos a velocidade da lesma marinha!

É compreensível...

E passemos à meta do projeto Avatar para 2025.

O objetivo é que avatares, androides, replicantes... invente um no-me... o objetivo do projeto dos russos é que eles sejam preparados para receber um cérebro humano. Assim, envelhecimento será um problema do passado. Trocaremos nosso cérebro de um corpo robótico a outro como quem troca de carro, podendo inclusive experimentar diversas formas de existência, masculina e feminina, dentro de corpos que poderão ter tama-nhos e formatos diferentes, ao gosto do cliente.

A meta para 2035 é criar um modelo computacional do nosso cére-bro. Aí começaria a transferência da consciência de um indivíduo humano para um suporte artificial. O modelo do cérebro em computador ainda está em fase muito preliminar, mas... quem sabe? A proposta do projeto Avatar é que os donos dessas consciências digitalizadas possam manipular suas memórias, apagando e modificando seus cérebros virtuais da maneira como desejarem.

Nesse estágio, os idealizadores do projeto Avatar compreendem que a humanidade já não existirá como a conhecemos atualmente. Será uma re-volução de tal ordem de grandeza que até a natureza humana terá mudado.

Ainda seremos humanos?

Aliás, fará sentido existir?

O que diriam Da Vinci e outros renascentistas ao descobrirem que alguns de nós estão pensando em abrir mão dessa obra de arte de anatomia perfeita para existir em corpos sintéticos ou... apenas em pensamento?

Imaginando que poderemos alugar ou comprar corpos novos, se a ética não impedir a nossa clonagem para fins de reposição integral, nossa alma terá enfim se libertado do peso de carregar algo que envelhece, que pode ser ferido ou adoecer, que se cansa, que precisa dormir bem para acordar bem, que precisa ser alimentado, que morre de sede se estiver num deserto e pode morrer na fila da UTI, se for contaminado por um vírus letal como o causador da Covid-19.

Verdade...

Corpos digitais não precisam de máscaras.

E isso nos leva a refletir sobre tudo o que a Filosofia e as religiões refletiram nesses últimos milênios.

De onde viemos?

Para onde vamos?

E agora, mais que nunca...

Para onde queremos ir?

A ideia de que em 2045 seremos hologramas parece tão distante que talvez devesse ser adiada para 2145. E ainda assim, conforme inúmeros sábios contemporâneos nos alertam, esbarraremos em questões essenciais que poderão nos levar a concluir que alhos não são bugalhos e que jamais poderemos digitalizar nossas existências. É verdade que o site do projeto Avatar parou de ser atualizado.

Virou um holograma?

O neurocientista-chefe do projeto segue trabalhando com sua equipe, e adiou indefinidamente a entrevista que aceitou dar para este livro.

Por que o silêncio?

Parecem ter percebido que é cedo demais para prometer tamanha revolução na essência de um ser que levou bilhões de anos para deixar de ser um micróbio e virar um primata e que, depois de desenvolver uma consciência altamente complexa, se tornou humano.

Um passo importante nesse projeto amplo de tornar o ser humano digital e imortal, ainda que seja um passo muito anterior e só com meios biológicos, é a ideia, essa sim muito próxima, de fazer transplantes de cabeças. Ou chamaremos isso de transplante de almas?

Capítulo 17

CABEÇAS TROCADAS

Sabendo das inúmeras experiências secretas que anatomistas do século XVIII fizeram em seus laboratórios clandestinos, imaginamos quantas vezes algum médico mais ousado terá tentado fazer um transplante de cabeça, provavelmente usando corpos de pacientes anônimos recém-falecidos em instituições públicas. Mas, pelo que sabemos, ninguém ainda conseguiu reconectar a cabeça de um humano ao corpo de um outro humano e devolver a vida a um deles.

No laboratório do neurocirurgião italiano Sergio Canavero, o esperado transplante de cabeça vem ganhando forma e criando controvérsia. Canavero atende orgulhosamente pelo apelido de doutor Frankenstein. Ele jamais conheceu o imortalista Robert Ettinger, mas pretende ser um daqueles "nossos amigos do futuro", em quem o pioneiro do congelamento de corpos depositou suas esperanças antes de ir descansar num tanque de nitrogênio.

Em 2013, Canavero publicou um artigo defendendo que seria capaz de fazer um implante de cabeça num corpo humano. Quatro anos mais tarde, depois de encontrar na China um enorme apoio ao seu projeto, o italiano relatou ter feito, com a colaboração do neurocirurgião Ren Xiaoping, a primeira experiência bem-sucedida usando cadáveres de pessoas que tinham acabado de morrer. Exatamente como o doutor Frankenstein, o doutor Canavero usou energia elétrica para estimular movimentos nos corpos mortos. E, pelo que disse...

"O transplante de cabeças humanas funciona!"[69]

O experimento na Universidade Médica Harbin, na China, foi o passo que faltava para o que Canavero anunciou em seguida: a qualquer momento fará o primeiro transplante de cabeça humana da história com uma pessoa viva.

No século passado, as experiências com cachorros tiveram grande sucesso: um dos cães que receberam novos corpos viveu por 29 dias, bebeu água e chegou a mover os membros anexados, mas acabou morrendo por rejeição ao transplante.[70] Poucos anos depois, no entanto, surgiram os remédios chamados *imunossupressores*, justamente para evitar rejeições depois de transplantes.

Em 1967, na África do Sul, o doutor Christiaan Barnard realizou o primeiro transplante bem-sucedido de coração. Na época foi um escândalo quase tão grande como o que surge agora com a ideia de transplante de cabeça. Afinal, o coração é parte fundamental da nossa essência.

Por algum tempo, os imunossupressores foram a grande esperança para que não houvesse rejeição quando cabeças e corpos humanos fossem unidos nas mesas de cirurgia. Mas, ao me contar sobre suas experiências, o doutor Canavero disse que desistiu dos imunossupressores pois não quer deixar o paciente preso aos remédios eternamente (e ele quer dizer *eternamente* mesmo, pois um de seus objetivos é a imortalidade).

A ideia agora é preparar, ou criar em laboratório, um corpo que possa se tornar *imunotolerante*, ou seja, que aceite uma nova cabeça sem qualquer rejeição.

Em 1970, Robert White e seus colegas implantaram a cabeça de um macaco no corpo de outro macaco, e o novo ser viveu por 8 dias. Um tempo depois, White escreveu que aquilo era "totalmente realizável" com seres humanos.

"Se procedimentos de tal dramaticidade vão algum dia ser justificados entre humanos é algo que ainda precisa esperar não só pelos avanços da ciência, mas por justificativas morais e éticas para tais procedimentos", White questionou, e depois concluiu que "aquilo que foi sempre coisa de ficção científica vai se tornar uma realidade clínica no começo do século xxi".[71]

Na segunda década do século xxi, o doutor Ren Xiaoping juntou a cabeça e o corpo de dois camundongos e o novo camundongo viveu por seis meses.[72] Xiaoping também liderou uma equipe de pesquisadores chineses no estudo que conseguiu aplicar um método de *fusão da medula espinhal* para devolver os movimentos das pernas a pacientes que sofriam de paralisia causada por traumas na espinha dorsal. Depois de realizada a reconexão da medula, sem passar por nenhum processo de reabilitação, os pacientes do doutor Xiaoping foram capazes de mexer pernas e pés.

Esse método de fusão da medula foi criado por Canavero e é a base do procedimento que ele vem chamando de *anastomose cefalossomática*, ou seja, a conexão entre a medula, os vasos sanguíneos e tudo o que há dentro da cabeça de uma pessoa viva com o corpo de uma pessoa cuja morte cerebral tenha sido decretada minutos antes.

Quando me contou sobre seus experimentos, o doutor Canavero relatou que sofre "enorme pressão" de outros cientistas, segundo ele "ocidentais da extrema esquerda", e, também, de religiosos budistas e cristãos, pois há muito tempo ele vem afirmando que seus pacientes estarão tecnicamente mortos antes do transplante.

"Haverá uma janela de oportunidade de alguns minutos durante os quais o cérebro estará muito esfriado e não haverá uma única gota de sangue circulando pelo corpo. Isso significa que você estará morto."[73]

Se o morto voltar a viver, Canavero terá ressuscitado uma pessoa.

"Eu sou um espiritualista e acredito que a gente sobreviva após a morte. Mas não sou religioso."[74]

E o ataque de Canavero às religiões ainda está por vir.

"Se a ciência pode dizer à humanidade que a morte é só uma ilusão… um véu que pode ser invadido… as religiões perdem sentido, porque são baseadas na premissa da morte."[75]

Em novembro de 2017, no dia seguinte ao anúncio do transplante de cabeças feito em cadáveres, o papa Francisco veio a público dizer que "nem tudo o que é tecnicamente realizável é eticamente aceitável". Noutras palavras, usou o mesmo argumento com o qual o apóstolo Paulo condenou o sexo livre e as relações homossexuais numa carta em que reprovou o comportamento de seus seguidores coríntios: "tudo me é permitido, mas nem tudo convém".[76] Francisco demonstrou sua preocupação com a possibilidade de que os avanços tecnológicos se tornem privilégio dos ricos.[77]

O papa não fez referência direta ao projeto de Canavero, mas é bem provável que falasse dele, pois, além da coincidência de datas, por muito tempo circularam rumores de que o médico italiano estivesse fazendo tudo isso para garantir a imortalidade ao bilionário russo Dmitry Itskov, criador ambicioso do projeto Avatar, que pretende levar o primeiro humano à imortalidade já nas próximas décadas.[78]

"Muita gente me odeia por causa dessa coisa do bilionário", contou Canavero em nossa conversa. "Eu me tornei infame, o inimigo número um da humanidade."

O assunto, no entanto, não saiu da cabeça do papa.

Menos de uma semana depois, numa conferência com médicos europeus, Francisco recomendou aos doutores que evitassem os tratamentos exageradamente penosos com pacientes terminais.

"Precisamos de grande sabedoria, por causa da tentação de insistir em tratamentos que têm efeitos poderosos sobre o corpo, e que às vezes não servem ao bem integral daquela pessoa."

Novamente, o papa não fez referência ao projeto científico de imortalidade, mas defendeu que não se deve fazer "qualquer coisa" para manter uma pessoa viva.

Mais que questionar a ética de seus experimentos, alguns cientistas tentaram desacreditar o doutor Canavero. Em artigo publicado num jornal britânico, o neurocirurgião Dean Burnett, que é também escritor e se define como "comediante eventual", duvidou dos sucessos anunciados.

"E esse transplante de cabeças bem-sucedido? Foi em cadáveres! Talvez a técnica usada para preservar cabeças e conectá-las tenha algum valor científico, mas isso ainda está muito longe da ideia de ver alguém andando por aí com um corpo totalmente funcional que não seja aquele com o qual a pessoa nasceu."

Os críticos começaram a dizer, também, que o transplante de cabeças pode gerar uma caçada internacional por corpos jovens, especialmente na África e na Índia, onde já existe um tráfico intenso de órgãos para transplante.

Canavero quase perdeu a cabeça.

"Você consegue imaginar um bilionário branco recebendo o corpo de um indiano ou de um africano? Não faz sentido! Tem que ser o corpo de um homem branco ou de uma mulher branca. Um coração pode vir de qualquer lugar do mundo, mas um corpo precisa vir de seu grupo genético. Mesmo no Brasil isso vai ser complicado… pois há muita miscigenação."[79]

Canavero é um desalmado ou um cientista à frente de seu tempo?

Se valem os exemplos históricos, ele certamente preferiria estar ao lado de um conhecido conterrâneo seu.

Antes de entrar para a história como o pai da ciência moderna, Galileu Galilei foi torturado e se viu forçado a negar, diante de um tribunal religioso, que a Terra girava em torno do Sol. Era inaceitável para o cristianismo que as escrituras estivessem erradas e que a Terra não fosse o centro do Universo. Galileu passou o resto da vida em prisão domiciliar, e só três séculos depois a Igreja reconheceu que estava errada.

O transplante de cabeças é avançado demais para nossa cabeça?

Sergio Canavero teme represálias e só pretende divulgar os resultados de seus experimentos no dia em que uma pessoa transplantada puder ser apresentada em público como prova irrefutável do sucesso de seus experimentos.

Para evitar ao menos uma parte dos questionamentos éticos, o primeiro transplante de cabeça poderá ser feito usando uma metodologia em que o paciente "jamais morre". O método conhecido como *circulação extracorpórea* faz com que o sangue continue chegando ao cérebro transplantado por meio de um sistema externo de bombeamento que mantém o paciente vivo mesmo quando está sem corpo. E isso pode evitar a ideia incômoda de deixar a cabeça morrer para ser transplantada e ressuscitar.[80]

Apesar dos questionamentos éticos, a ideia de transplantar cabeças tem conseguido muitos adeptos. Em 2020, o neurocirurgião britânico Bruce Mathew, que já foi chefe do departamento de neurocirurgia do Serviço Nacional de Saúde do Reino Unido, afirmou que até 2030 devemos testemunhar a primeira cirurgia bem-sucedida.

O neurocirurgião britânico entende que ainda vai ser preciso aprender a retirar a membrana *dura mater*, uma das meninges que protegem nosso sistema nervoso central, sem perfurá-la, mas entende que, com alguns avanços científicos, até isso será possível.

"Se você mantiver o cérebro conectado à medula espinhal depois do transplante, essa não é uma ideia impossível."

Mas...

Por Deus...

Pela Filosofia...

Ou pelos nossos neurônios...

De quem será a alma desse novo ser vivente?

Capítulo 18

A INCRÍVEL MEMÓRIA DO INTESTINO

POR QUE DIZEMOS QUE A INTUIÇÃO VEM DA BARRIGA?
E a ideia romântica de que o amor nasce no coração? Nem todo o avanço científico, nem todas as descobertas relativas ao poder do cérebro humano foram suficientes para acabar com essa *dúvida* sobre onde estão os nossos sentimentos e, principalmente, onde está aquilo que chamamos de alma.

Onde há sentimento, penso eu, tem que haver ao menos uma parte da nossa essência. Mas, e se entendemos que a alma é indivisível… Será possível que deixe de existir quando o coração se separa do cérebro?

Por outro lado…

E se entendermos que a alma *pode* ser dividida?

Cientistas provaram que nosso cérebro tem a capacidade de comportar duas personalidades diferentes funcionando ao mesmo tempo. Quando está com problemas, certamente. É o que alguns médicos chamam de *Síndrome do Doutor Fantástico*, em referência ao personagem interpretado por Peter Sellers no clássico filme de 1964.

Uma das mãos do Dr. Fantástico age por conta própria, incontrolável. Essa rara condição ficou também conhecida como *Síndrome da mão alienígena*. Normalmente acontece em pessoas que por alguma razão tiveram a conexão cortada entre os dois hemisférios do cérebro, como é o caso em cirurgias que pretendem conter os efeitos da epilepsia.

É quando o hemisfério direito, normalmente calado e submisso, decide se rebelar. A mão esquerda, controlada pelo lado direito do cérebro, age por conta própria, como se fosse uma outra pessoa, outra alma.

Há diversos casos na literatura científica.

Num deles, um homem queria abraçar sua mulher, mexeu o braço direito para envolver o corpo dela, mas a mão esquerda resolveu – por conta própria – disparar-lhe um soco na cara.

E o que deseja essa mão descontrolada e covarde...

Essa *outra consciência*?

Jamais saberemos!

Pode rir... estou rindo também da mão que tem vontade própria.

Pois o lado direito do cérebro não sabe falar.

Se consciência e alma forem a mesma coisa (ou, ao menos, ideias muito próximas sobre o que é a nossa essência), devemos pensar que pessoas com cérebro dividido têm duas almas?

Respire fundo.

Respiro com você.

E meu hemisfério direito, ainda conectado, respira também.

Os questionamentos científicos, filosóficos e religiosos sobre o local exato de *moradia* da alma (ou da mente, se preferirmos o termo científico) são incontáveis e estão culturalmente enraizados em nós.

Se nossa essência for mesmo indissociável dos meios materiais que a tornam perceptível aos sentidos humanos, somos levados a pensar que a alma chama-se mente e vive no cérebro. Pois é o cérebro que transforma aquela *alguma coisa* desconhecida, nossa *vontade*, num pensamento que, dependendo do razoamento feito por meio dos neurônios, poderá ou não resultar num movimento corporal, como um soco ou, de preferência, um abraço.

O materialismo que ganhou impulso no Renascimento, ao fim da Idade Média, nos apresenta uma série de argumentos para demonstrar que a nossa consciência está no cérebro. E que a alma... bem... materialistas entendem que alma não existe, pois é tudo matéria.

Mas e se a nossa intuição nascer mesmo na barriga conforme a crença popular de que o *intestino* é o *instinto*? Não é na barriga também que sentimos aquele arrepio quando alguma coisa nos excita?

Percebendo claramente que há alguma forma de *sentimento* em nosso intestino, devemos pensar que *ele* fala diretamente ao cérebro e inclusive armazena uma parte da nossa memória?

Pesquisas recentes demonstram uma conexão tão intensa entre o intestino e o cérebro que os estudiosos criaram a expressão "eixo cérebro-intestino". É uma comunicação bidirecional que envolve caminhos neurais, endócrinos e imunológicos. E isso faz com que alterações nas condições intestinais promovam alterações psíquicas, influenciando, por exemplo, na tomada de decisões em questões afetivas.[81]

O estudo liderado por Andrea Suarez, na Universidade do Sul da Califórnia, em Los Angeles, sugere que o intestino faz parte também da nossa memória espacial, pois os sinais enviados pelo intestino ao cérebro exercem uma função-chave na maneira como nos lembramos de lugares e paisagens que nos ajudam a navegar pelo mundo. Suarez e os outros pesquisadores que realizaram o estudo afirmam que "o intestino envia sinais para uma parte do cérebro chamada hipocampo, onde as memórias se formam e de onde saem para o nosso consciente".[82]

O intestino nos ajuda a lembrar também de onde comemos certas comidas. Feche os olhos e o *instinto* levara você até a melhor pizzaria! E isso nós aprendemos muito antes que Marco Polo trouxesse a pizza da China para a Itália. Foi ainda na Pré-História, quando vivíamos caçando e coletando frutos pelas florestas.

"Quando os animais encontram o alimento, esse GPS natural é ativado", explicou um dos autores do estudo. "É vantajoso se lembrar do ambiente externo para que ele possa encontrar comida outra vez."[83]

Como esse sistema nervoso complexo é capaz de influenciar as decisões tomadas em nossa mente, alguns cientistas se referem ao intestino, informalmente, como o "segundo cérebro".

Se nossa alma é feita também de memórias (grande parte da ideia de evolução espiritual está associada a isso, e a filosofia grega também), podemos pensar então que uma parte dela está em nosso intestino?

Também estranhei quando pensei nisso pela primeira vez.

Como assim...

A alma no intestino?

E se nos dissessem que a alma está no diafragma?

Conforme uma ideia antiga dos gregos, a alma ficava na delicada membrana respiratória que conhecemos como diafragma, mas que eles chamavam *frenos*, onde o "hálito humano" se separa de seus "humores digestivos". Os gregos entendiam que era naquela parte finíssima do nosso corpo que se distinguia dentro de nós o que era vida e o que era morte.

Daí o diafragma ser a moradia da alma.

E foi daí também que veio a ideia de que uma pessoa que sofre com alucinações e delírios é esquizofrênica, uma pessoa "de alma partida", ou, com certa liberdade poética, poderíamos pensar que é uma pessoa... com duas almas!

Assim, se consideramos esse pensamento grego sobre a alma residente no diafragma, ou mesmo se considerarmos apenas que o intestino e o coração carregam parte das nossas memórias, o que acontecerá depois de um transplante de cabeça ou de cérebro?

O cérebro passa a ter uma parte da alma do corpo que o recebeu?

Nasce ali uma pessoa de alma dividida... como o *Visconde partido ao meio* da fábula de Calvino?[84]

O visconde Medardo di Terralba levou um tiro de canhão no peito e, em vez de morrer, tornou-se duas meias-pessoas com personalidades opostas, até que elas foram costuradas outra vez.

Ou a pessoa costurada no transplante de cérebro será também…

Esquizofrênica?

Ao menos…

Confusa?

A tradição cristã conta que, no ano 258, depois de ser decapitado, o corpo de São Dionísio colocou sua própria cabeça debaixo do braço e a levou até o lugar onde queria que cavassem sua sepultura, no alto do morro onde está atualmente a basílica de Montmartre. O corpo do primeiro bispo de Paris sabia exatamente o que queria fazer com a cabeça perdida. Por isso, o santo parisiense sempre é retratado com a cabeça nas mãos.

Voltamos à ideia judaica, que se tornou cristã, de que a alma não está presa nem à cabeça nem ao corpo, pois é uma entidade independente, um sopro de vida, o *ruah* que nos é insuflado por Deus e que habita imaterialmente nosso corpo material. Teria sido, então, a alma etérea de São Dionísio que fez seu corpo carregar a cabeça até o alto do morro?

E se a alma do santo estivesse no coração?

A pesquisa científica indica que o coração pode funcionar como um repositório de memórias. Uma espécie de caixinha secreta que o nosso inconsciente acessa vez por outra para buscar lembranças afetivas.

Será por isso que sentimos um aperto no peito quando nos apaixonamos?

Quando desenhou um coração em seus manuscritos de anatomia, Leonardo Da Vinci o chamou de "admirável instrumento inventado pelo mestre supremo".[85] E a ciência moderna sabe que o admirável instrumento é tão poderoso que tem sua própria memória, que funciona de maneira muito parecida àquela memória que conhecemos melhor, no sistema nervoso central.

Será que o coração se lembra dos amores que sentiu?

Poderá reviver nossas primeiras paixões, mesmo sem o cérebro a lhe soprar lembranças?

A teoria de memórias celulares, conforme definida pela Harvard Medical School, afirma que nossas memórias estão armazenadas *não apenas* no cérebro, mas também em outros órgãos e por todo o corpo. De maneira mais ampla, as células aprendem a reagir a certos estímulos de uma certa forma e tendem a repetir essas reações quando são estimuladas de maneiras semelhantes.

Muita gente entende que é por isso que pessoas que recebem transplantes de coração tendem a sentir emoções parecidas às de seus doadores.

Caso conhecido é o de uma mulher chamada Claire Sylvia, que, nos anos 1970, recebeu o coração e os pulmões de um rapaz de 18 anos morto num acidente de motocicleta.

Depois do transplante, Claire passou a ter desejos inexplicáveis por coisas em que antes não achava a menor graça. Por exemplo: cerveja, pimentão e frango empanado. Depois de muito procurar e finalmente conseguir acesso à família de seu doador, Claire descobriu que o que desejava eram as comidas preferidas do antigo dono de seu coração.[86]

O famoso médico indiano Deepak Chopra viu no caso de Claire mais um exemplo de que "a memória das nossas células pode sobreviver à nossa morte". Noutras palavras, enquanto estiverem vivas, ou enquanto estiverem se degenerando e gerando novas células para substituí-las, nossas células serão capazes de transportar memórias.

Isso teria o poder de criar também "memórias fantasmas", que, segundo Chopra, são responsáveis por transmitir nossos traumas de geração em geração. Ou por levar essas memórias para outro corpo depois de um transplante de cabeça, como pode um dia acontecer.

Caso ainda mais impressionante é o de uma menina de oito anos que acordava à noite gritando depois de ter pesadelos com um certo homem. Ela havia recebido o coração de uma garota de dez anos que, como acontece em todos os transplantes, não teve a identidade revelada a ninguém.

Depois de ouvir os pesadelos da menina apavorada em diversas sessões, a psicanalista que tratava dela convenceu a mãe de que era preciso comunicar o caso à polícia. Descobriu-se, por fim, que a doadora do coração havia sido assassinada e, com a descrição de tudo o que aparecia nos pesadelos – arma, local, roupas, diálogos –, a polícia conseguiu capturar o assassino e levá-lo à prisão.

O caso foi relatado pelo doutor Paul Pearsall, um neuropsicólogo que, conforme sua própria apresentação, se dedicava a estudar a relação entre o cérebro, o sistema imunológico "e as nossas experiências com o mundo exterior".

Em sua experiência clínica, o doutor Pearsall colheu os depoimentos de mais de uma centena de pacientes que receberam transplantes de coração e de outros órgãos, e concluiu: "algum tipo de memória celular existe e o coração tem um papel fundamental na recuperação dessas memórias".[87]

No fim dos anos 1990, o doutor Pearsall contou que recebeu muitas críticas e repreensões depois de divulgar as conclusões de suas pesquisas, sendo acusado de "prejudicar o movimento a favor dos transplantes ao chamar atenção para a ideia de que o coração é muito mais do que uma bomba hidráulica" e por dizer que *coisas* da alma da pessoa acompanhavam o órgão transplantado.

As experiências relatadas por aqueles que recebem órgãos em transplantes são frequentemente desprezadas, como se fossem mera consequência de uma doença, efeito colateral do trauma causado pelo transplante ou mesmo pelos medicamentos usados após as cirurgias.[88]

No entanto, há uma outra concepção materialista, e também contemporânea, que diz que a alma é a mente e que reside apenas no cérebro. Por essa ideia, o ser vivente que vier a surgir depois de um transplante de cabeça ou de cérebro será a mesma pessoa de antes, apenas turbinado por um corpinho mais jovem.

Quando fizerem as primeiras experiências com humanos, os cientistas Canavero e Xiaoping pretendem implantar cabeças de pessoas com paralisia total dos membros em corpos de pacientes em quem tenha sido constatada a morte cerebral.

Mas, afinal, alguém pode dizer quem será essa nova pessoa?

Na obra literária *As cabeças trocadas*, publicada pelo escritor alemão Thomas Mann em 1940, dois amigos, o espiritual Shridaman, com seu corpo magro e sem graça, e o extrovertido Nanda, bonito e musculoso, dividem o amor de uma mesma mulher. Ela se casa com o primeiro sem jamais esquecer o segundo. Mais tarde, no entanto, para pôr fim ao terrível incômodo desse amor compartilhado, os amigos acabam por cortar cada um a própria cabeça.

Por um acontecimento mágico, as cabeças são recolocadas...

Nos corpos errados.

E a mulher não sabe mais qual deles é seu marido.

Mais que uma questão literária, é um tema que ainda vai provocar muito debate. É certo que os doutores Frankenstein enfrentarão ainda enorme resistência quando, dentro de alguns anos, encaixarem o primeiro cérebro num crânio ou costurarem a primeira cabeça a um corpo que não lhe pertence... e essa nova pessoa resolver caminhar pelo mundo.

Capítulo 19

A INEXISTÊNCIA

CARLOS MAGNO ESTAVA EM PARIS, PASSANDO A TROPA em revista, quando parou diante de um cavaleiro em armadura branca e quis saber quem era aquele que nem sequer levantava o capacete para que o imperador pudesse vê-lo.

— *Eu sou* — *a voz emergia metálica do interior do elmo fechado, não como se saísse de uma garganta, mas como se fosse a própria chapa da armadura a vibrar.*[89]

— *Aaah!* — *disse Carlos Magno.* — *E por que não levanta a viseira e mostra seu rosto?*

— *Porque não existo, senhor.*

— *Faltava esta!* — *exclamou o imperador.* — *Agora temos na tropa até um cavaleiro que não existe!*

E se disséssemos ao imperador que nenhum de seus cavaleiros existia... e que o próprio Carlos Magno era um imperador inexistente?

O conto de Italo Calvino, como ele próprio explicou na edição italiana da obra publicada em 1959, tratava da "alienação do homem" e do "caminho para a realização de uma humanidade completa". Assim, mesmo que talvez não pensasse nisso, o escritor nos conduz a uma ideia budista essencial: a inexistência da alma.

A alma só existe no budismo para negar sua existência. É o que Buda chamava *anatman*, ou seja, a *não alma*. Pois a alma, conforme foi compreendida pelos gregos, e também pelas religiões predominantes atualmente, do cristianismo ao espiritismo, é algo individual e imortal que cada um tem dentro de si.

Monja Coen me explicou que para o budismo Zen que ela ensina "não existe uma alma separada do corpo, nem um corpo separado de alma, espírito ou energia vital". O budismo não consegue entender o indivíduo como separado do *todo*, do *completo*. E muito menos a eternidade de alguma coisa. Conforme a compreensão budista de que nada é permanente e tudo está em constante transformação, o que existe, em vez de alma, são a consciência, os fluxos mentais e, de maneira importantíssima, a *Natureza-Buda*.

Natureza-Buda é um conceito espiritual de grande complexidade. É algo impreciso (como deseja ser). E, mais que compreendido, deve ser praticado. Mas de maneira iniciatória costuma ser apresentado como "a impermanência, a essência do Buda".

No século XIII, assim explicou o mestre zen Dogen:

"Desde que a grama, árvores e arbustos são impermanentes, eles *são* a Natureza-Buda. A precisa impermanência do corpo e mente humanos são Natureza-Buda."[90]

É também, conforme outras interpretações, o estado de constante transformação espiritual que leva à iluminação, ao vazio da consciência e à pureza da mente: o princípio que move tudo. [91]

"A Natureza-Buda está presente em todas as coisas... Assim como o Sol está presente no céu", explicou Tulku Urgyen Rinpoche, mestre budista do século XX.

Há, no entanto, algumas semelhanças entre a Natureza-Buda e a ideia de alma que está em muitas filosofias e religiões. Ambas são entendidas como aquilo que está na nossa essência, sendo naturais e *iluminadas*.

Monja Coen lembra que a ideia comum de espírito "tem a ver com inspiração e expiração". Ela explica que, no budismo Zen, a ideia de espírito tem outro sentido. "A gente vai falar *kokoro*, que serve para coração, centro, espírito… essência. Mas essa essência do ser não é fixa nem permanente, e com a morte ela também continua se modificando."

A diferença maior está no conceito de *eu*.

A existência de uma *alma* implica uma conexão permanente com a ideia de que cada um de nós é um ser individual, e isso vai em direção totalmente oposta ao ideal budista de *vazio*.

Interessante perceber, no entanto, que a compreensão budista sobre a nossa existência (ou inexistência) se inicia na matéria, naquilo que é físico e palpável, conforme a ideia dos "Cinco Agregados".

Corpo.

Sensações.

Percepções.

Formações mentais.

E consciência.

Sendo que o *corpo* é a matéria física que nos forma.

As *sensações* são as experiências sensoriais de qualquer objeto.

As *percepções* são a consequência das experiências sensoriais.

As *formações mentais* são tudo aquilo que acontece em nosso cérebro, as "conexões neurais" que nos levam a iniciar uma ação.

Por fim, a *consciência* é o discernimento, aquilo que todo esse processo produziu em nós.

Dizer, no entanto, que o budismo tenta com isso definir o que é a nossa existência ou personalidade seria mais desaconselhável que um despreparado tentar escalar o monte Fuji. O budismo entende que só o vazio existe e que a substância não existe, pois está sempre em transformação. A iluminação, o Nirvana, é um processo que exige o conhecimento desses *agregados* num contexto de impermanência e não individualidade… e, como no conto do cavaleiro, *a inexistência do eu*.

Vem daí a antiga ideia de *anatman*, que afirma que entendermos a nossa existência como permanente é uma das principais causas do sofrimento humano. Compreender isso, os monges ensinam, é ir além dos nossos desejos e egoísmos.

Mas se não existe alma...

Como pode existir reencarnação?

Aqui nem todo budista pensa da mesma forma.

No budismo tibetano, a pessoa morta vive um período transitório em que tem a ilusão de que ainda é feita de carne e osso e, no momento que percebe que não é isso, é tomada por um "fortíssimo desejo de possuir um corpo". Pode renascer neste ou em outro mundo.[92]

Na concepção Zen da morte, o corpo e a mente se desintegram. Mas, se a mente que se desintegrou continuar carregando algum resíduo *cármico*, ou seja, se as obsessões mentais não tiverem permitido àquela pessoa atingir a iluminação, essa consciência continuará existindo e ressurgirá na mente de um ser nascente, que pode ser um bebê, um girino, um peixe ou uma pedra.

"Sou herdeiro das minhas ações", disse o Buda. "O que quer que eu faça, para o bem ou para o mal, disso me tornarei herdeiro."[93]

A inexistência da alma opõe o budismo Zen ao hinduísmo.

Para os hindus, o *atman* é uma ideia abstrata que representa a existência de um *verdadeiro eu*, um espírito individual que (de maneira diferente das religiões ocidentais) não deixa de ser parte de uma certa Alma Universal, pois faz parte do Universo e se difere dele apenas pela *autoconsciência*.

Da mesma forma que os budistas entendem que a Natureza-Buda está em tudo, os hinduístas entendem que o *brama*, o absoluto, "é tudo o que existe".[94] De certa maneira, são os princípios de divino e infinito, entendidos como a origem de toda a consciência que evolui em nosso mundo. A ideia de evoluir existe de alguma forma para todos os espiritualistas. Entre eles, os espíritas.

O espiritismo nasceu na França quando Allan Kardec se impressionou com as mesas que dançavam nos salões de certas casas em que os espíritos de pessoas mortas eram evocados por pessoas com capacidade de intermediar esse contato, por isso, chamadas *médiuns*. Construiu-se, a partir desses acontecimentos, a crença na ideia de que a imortalidade é algo que não apenas existe, mas que também pode nos deixar presos aqui na Terra, caso não tenhamos evoluído espiritualmente.

Um dos espíritas mais conhecidos da atualidade, Haroldo Dias Dutra entende que esses fenômenos, como "objetos que se movem e aparições luminosas", são a comprovação da existência de espíritos. "Eu, por exemplo, fui tocado por um espírito e fui operado. Eu estava com uma hérnia de disco e durante cinco minutos esse espírito ficou tocando em mim. Tocando! A mão dele!"

O espírito, para Kardec, é o que somos.

A alma é um estado do espírito enquanto ele está encarnado num corpo. E o espiritismo que ele fundou é "o oposto do materialismo", ainda que o pedagogo francês não desejasse confrontar a ciência, criando três definições "aceitáveis" para a ideia de alma.[95]

Alma Vital é a força que anima os corpos.

Alma Intelectual é a inteligência.

Alma Espírita é nossa individualidade após a morte.

Quando escreveu seu *Livro dos espíritos*, no século XIX, Kardec fez questão de destacar que um dos fundamentos de sua doutrina era "a imortalidade da alma". E tudo o que fez (e o que os espíritas continuam fazendo, principalmente no Brasil) foi tentar manter uma relação constante com esses seres imortais que habitam um mundo invisível.

Para Kardec, o corpo é apenas o "envelope" da alma.

Estamos de volta às almas com asas de Platão. Pois, no espiritismo, ao destruir esse "envelope material perecível", a morte é libertadora. E a ideia espírita é também semelhante à ideia cristã, como apresentada por Paulo de Tarso, Apóstolo dos Gentios. Paulo reclamava do peso do corpo, e não via a hora de se libertar daquele incômodo para estar logo no Reino de Deus: "Quem me resgatará deste corpo dominado pela morte?".[96]

A morte que liberta é, portanto, o oposto do imortalismo que a humanidade moderna busca desde que Robert Ettinger e seus discípulos começaram a congelar corpos em tanques de nitrogênio nos anos 1960. É o oposto do que vou chamar aqui de *espiritualismo digital*, que vem tentando expandir a existência humana para transformar nossa consciência em algoritmos.

Estamos novamente diante de um dos maiores mistérios humanos.

Algo que está dentro de nós, mas que não conhecemos.

Algo cujo funcionamento o médico Sigmund Freud nos ajudou a desvendar de maneira brilhante, revelando quantas camadas se escondem debaixo daquilo que chamamos consciência.

Algo que os praticantes do espiritismo se esforçam para conhecer de maneira literal, com uma experiência de contato real, usando técnicas mediúnicas de comunicação com o além.

Pois não há compreensão simples nem mesmo para os materialistas que nos dizem que alma é apenas uma ideia que existe nos átomos do cérebro, ou nas células do nosso corpo inteiro com suas funções, em certo sentido, espirituais.

E se parece mesmo que só os iluminados entendem a alma, é também porque, historicamente, luz foi uma das definições mais recorrentes para explicar aquilo que temos dentro de nós, aquilo que Kardec definiu como etéreo, semimaterial, "invisível para nós no estado normal, mas que acidentalmente pode se tornar visível".[97]

A ideia de que aquilo que não vemos é a parte mais importante também aparece no que Buda falou pouco antes de sua morte, querendo que seus alunos não sofressem com aquela perda enorme.

"Não é o meu corpo que vocês amavam, mas aquilo que ensinei."

Reparem que Buda nem sequer mencionava um possível amor à sua alma. Pois ele estava certo de que alma não tinha.

Monja Coen explica que vem daí a compreensão de que a vida de Buda é eterna, e isso está associado à memória dos que estão vivos, "porque agora eu estou falando o que ele falava".

E para que não fiquemos só no campo imaterial das ideias que permanecem, o budismo Zen entende e aceita a alta tecnologia que está entrando em nossas vidas como algo perfeitamente natural e impermanente.

"O fato de que neste momento a nossa tecnologia não nos permite detectar o que é isto [que temos dentro de nós] não significa que seja imaterial", diz a Monja Coen. "Porque tudo o que existe são prótons, nêutrons e elétrons numa dança."

Que linda imagem!

Tudo dentro de nós numa dança eletrônica.

Daí a ideia budista de que nada é permanente.

E que está tudo em transformação.

Dançando!

Capítulo 20

A FÁBRICA DE TRABALHADORES SEM ALMA

QUANDO DESCOBRIU UM MATERIAL QUE SE COMPORTAVA como tecido humano, o velho Rossum se vangloriou da facilidade com que aquela espécie de gelatina podia ser modelada para se transformar em vida. Passou dez anos experimentando, mas tudo o que conseguiu criar foi uma aberração de ser que não viveu mais que três dias.

Ao chegar à ilha onde o velho havia se isolado, seu sobrinho, o jovem Rossum, achou que era preciso desenvolver algo muito mais simples: uma força de trabalho inteligente que não tivesse as coisas *supérfluas* dos seres humanos. Os trabalhadores ideais não precisavam ter sentimentos como felicidade ou prazer, ou tocar violino, sair para passear... coisas "absolutamente desnecessárias".

O jovem Rossum desenvolveu então uma linha de produção para fabricar trabalhadores eletrônicos baratos, com uma capacidade impressionante de compreender as coisas, fazer cálculos, falar diversas línguas e... Ah, sim, eles não se apegavam à vida, não sentiam dor nem prazer, não tinham paixões nem esperança, não amavam nem a si mesmos nem a ninguém e, portanto, não tinham alma!

A peça de teatro de Karel Capek foi encenada pela primeira vez em 1921, numa época em que o mundo ainda estava maravilhado com as linhas de produção montadas por Henry Ford para fazer carros baratos nos Estados Unidos, num tempo em que o ser humano pensava que talvez não precisasse dar duro para conseguir as coisas que as máquinas poderiam ajudá-lo a fazer. Não por acaso, na peça, o diretor da fábrica explicou a uma visitante que produzir os trabalhadores eletrônicos era "exatamente como fazer um carro".

A Primeira Guerra Mundial tinha destruído milhões de vidas, especialmente de homens, e os seres sem alma de Capek poderiam ajudar a repor essa força de trabalho perdida. Poderiam também, quem sabe, substituir os humanos nas guerras seguintes.

A palavra *trabalhador*, que o escritor usou em tcheco, era *robot*. Estava, inclusive, no título do livro que conquistou fãs pelo mundo: *Rossum Universal Robots*. E robô acabou virando a palavra universal para falar da máquina que substitui o humano.[98]

Mas, ainda assim, havia algo muito claro para seus fabricantes: "nada pode ser mais diferente de uma pessoa que um robô". Por mais eficientes que fossem, robôs deveriam ser apenas ferramentas.

Entendido…

E o que fariam as pessoas naquela ilha de ócio?

Quando os robôs ocupassem todos os postos de trabalho, os preços das coisas cairiam tão drasticamente que tudo, inclusive a comida, seria de graça.

– O homem vai parar de ser o serviçal de outro homem ou escravo de coisas materiais – disse, na ficção, o diretor da fábrica. – Chegou a hora de voltarmos ao Paraíso onde Adão era alimentado pelas mãos de Deus, quando o homem era livre e soberano… O único trabalho do homem vai ser novamente se fazer perfeito, para se tornar *o senhor da criação*.

É o tipo de postura que se espera de uma espécie que superou seus contemporâneos Neandertais, viu desaparecerem grandes macacos que poderiam ameaçar sua existência e, conforme as palavras do paleoantropólogo francês Pascal Picq, se cercou de "um muro de arrogância que lhe permitiu pensar que era a única detentora de todas as inteligências".[99]

Ainda assim, a ideia de criar outra forma de inteligência prosperou.

Foi em 1950 que o matemático Alan Turing publicou seu artigo histórico em que anunciava o projeto real de inventar máquinas e tecnologias que pudessem reproduzir as funções realizadas pela inteligência humana.

A expressão "inteligência artificial" veio logo em seguida, em 1955, quando Marvin Minsky escreveu uma carta para arrecadar fundos para a primeira conferência que discutiria a ideia.

Quando o Deep Blue venceu o campeão mundial de xadrez Gary Kasparov, em 1997, ainda que fosse capaz de avaliar até 200 milhões de jogadas por segundo (contra apenas três jogadas por segundo de seu oponente humano), o supercomputador da IBM não era dotado do que mais tarde se definiria como Inteligência Artificial. Não tinha um sistema realmente elaborado que o fizesse aprender com seu oponente ou "pensar" sobre o que estava acontecendo à sua frente.

O Go é um jogo de tabuleiro mais complexo que o xadrez, pois além de pensamento estratégico envolve intuição e criatividade. Em 2016, a vitória do computador AlphaGo sobre o campeão mundial Lee Sedol foi um daqueles pontos de virada na história da ciência.

A máquina venceu novamente o humano.

Mas, dessa vez, *criou* suas próprias jogadas.

Usou de algo muito mais complexo que apenas probabilidades e cálculos matemáticos. Além de uma capacidade impressionante de analisar toda a biblioteca on-line com registro de 160 mil jogos anteriores, o Alpha-Go usou redes neurais artificiais que imitam o comportamento do cérebro humano. O computador criado pela Google combinou aprendizado de máquina com uma técnica de programação conhecida como "travessia de árvore", que hierarquiza os elementos de maneira não linear, numa forma de "pensamento" análoga à dos seres humanos. O resultado da combinação dessas tecnologias foi um computador que realmente aprendeu (pois não *decorou* os jogos registrados) e que, como disse um de seus criadores, inventou suas próprias jogadas.

Estamos ensinando as máquinas a pensar?

Estamos criando novos seres?

Na terra onde Deus nasceu, onde por alguns milhares de anos os judeus guardaram uma arca na qual acreditavam que residia o todo-poderoso criador, logo acima dos lugares santos, robôs voadores assumiram o lugar dos pilotos militares e fazem ataques precisos, disparando mísseis contra alvos humanos sem arriscar uma única vida em seu lado do tabuleiro.

A criatura evoluiu.

O ser de barro está se tornando também um deus.

E não no sentido filosófico daquele que voava com almas aladas.

Sua divindade vem, mais uma vez, de seu poder de criar.

Esses robôs voadores, os drones usados pelo exército israelense para exterminar inimigos palestinos, podem ser os precursores de robôs terrestres que se comportem como máquinas mortíferas autônomas (talvez até com inteligência própria). E são apenas uma das consequências de um processo evolutivo que ganhou impulso quando Alan Turing lançou o desafio de criar inteligências, quando muita gente acreditou que robozinhos domésticos iriam invadir nossas vidas para fazer as tarefas que não gostamos de fazer.

E não foi por acaso que logo nos anos 1960 surgiu o desenho animado *Os Jetsons*, mostrando de maneira divertida como seria a nossa vida nesse futuro cheio de inovações.

Os drones que fazem hoje uma guerra desumana, ou ao menos inumana (pois não há humanos ali dentro), são parentes dos robozinhos dos Jetsons, e estão fazendo o que talvez seja o mais ingrato dos trabalhos já atribuídos a um ser humano: o de pôr sua vida em risco para tirar outras vidas.

Agora, vamos com calma!

A inteligência de um drone, se tanto, é comparável à de um mosquito.

Mesmo o AlphaGo que venceu seu oponente humano...

Mesmo que ele seja capaz de aprender tarefas específicas...

Por mais que se procure...

Todos os exemplos existentes atualmente nos deixariam frustrados quanto à possibilidade de ver diante de nós um computador consciente ou, como diriam alguns, um robô com alma.

Mesmo Watson, o supercomputador da IBM que processa 500 gigabytes por segundo, apesar de seus 16 trilhões de bytes de memória, ainda que tenha algoritmos de autoaprendizado e possa evoluir observando o comportamento de seres humanos, ou até mesmo um outro computador, está restrito a funções específicas, muito mais próximo de uma ferramenta que de um ser vivo. Não tem necessidade de contato físico, nem desejos sexuais, nem necessidade de comer chocolate. Não tem, tampouco, meios de se locomover. Watson, por exemplo, ocupa quase um campo de futebol inteiro e não tem consciência alguma sobre sua própria existência.

Pois é, caro Watson.

Você não tem sentimentos.

Nem mesmo por você...

Ou melhor, apesar de terem lhe dado um nome.

Não podemos dizer... você!

Mesmo que a máquina ainda pareça distante de um tipo de inteligência comparável ao nosso, os cientistas parecem estar indo mais rápido que a Natureza em sua missão de criar seres inteligentes (se é que a força criadora do Universo não fez o que fez por acaso). Só para dar um exemplo, no processo de evolução das espécies, foram necessários 480 milhões de anos para que uma membrana que envolvia o cérebro minúsculo de um ser ancestral se transformasse nessa casca dura que forma nosso crânio.

Na *Rossum Universal Robots*, quando perguntados sobre as razões para não criarem máquinas com alma, os humanos que controlam a fábrica encontram duas respostas igualmente importantes: uma é que não seria do interesse deles que os robôs tivessem alma, pois isso seria perigoso demais. A outra razão é que eles, simplesmente, não sabem criar consciências.

Será que algum dia vamos saber?

Capítulo 21

ESFORÇOS PARA DAR À LUZ UM SER CONSCIENTE

Faz alguns milênios que, por alguma razão mundana, de tempos em tempos, um rabino muito sábio perde a cabeça e decide repetir a experiência de Deus. Cria para si, para benefício próprio e de sua comunidade, um Golem.

A fórmula do feitiço para a criação de seres humanos a partir do barro, exatamente como a mitologia judaica relata que Deus fez quando moldou o Primeiro Homem, é um segredo guardado a sete chaves pelos rabinos mais instruídos.

É um ser de barro criado por mãos humanas.

Amassado, devidamente amassado.

Moldado quase à perfeição.

À espera de um sopro.

Como Adão…

O Golem de Deus.[100]

Mas, como nos ensina o poema de Jorge Luis Borges, basta um único engano do rabino feiticeiro para que o Golem se torne um ser inferior, sem a inteligência que se espera de um humano.

"Talvez tenha havido um erro na grafia

Ou na articulação do Sagrado Nome;

Apesar de tamanha feitiçaria,

Não aprendeu a falar, o aprendiz de homem."[101]

Resulta que na tradição judaica, e na alta literatura que ela inspirou, o rabino sempre erra e o ser criado por mãos humanas sempre carece de inteligência.[102] Daí os judeus modernos usarem a palavra *golem* como adjetivo para chamar alguém de imbecil.

O Golem mais famoso, talvez apenas porque mais recente, nasceu em Praga no século XVI. Foi criado para defender os judeus de cristãos violentos que os assassinavam sob a acusação de usar sangue de crianças na receita do pão sem fermento consumido durante a Páscoa.

Tentando proteger seu povo, o rabino Belazel e seus alunos foram até a beira do rio e ali, durante um ritual cabalístico, construíram a coisa de barro. Depois de dar sete voltas ao redor da escultura, recitando versos para enfeitiçá-la, o rabino colocou na boca do Golem um papel em que estava escrito um dos muitos nomes secretos de Deus.

Foi como no poema de Borges.

"O simulacro levantou suas pálpebras sonolentas.

E viu formas e cores que não entendeu.

Ensaiou temerosos movimentos."[103]

Mas a vida criada pela mente imperfeita do ser humano (mesmo que ele esteja inspirado por Deus) é tão imperfeita que nenhum Golem pode jamais pronunciar uma palavra. E isso ficou bem entendido, muito tempo antes, no desapontamento de um outro rabino quando percebeu o silêncio do Golem feito por seus colegas.[104]

– Você foi criado por um dos sábios – disse Rav Zeira. – Volte ao pó!

Seremos capazes de criar seres humanos sem que sejam tolos como golens ou violentos como frankensteins?

Quando trocamos a mitologia e a feitiçaria pela ciência, as chances de darmos à luz um ser consciente aumentam de maneira considerável. Seria apressado, no entanto, pensar que os computadores, mesmo os mais modernos supercomputadores, estejam se aproximando do cérebro humano. Seria fantasioso pensar que bastam mais alguns anos de desenvolvimento para que, por exemplo, o celular se transforme num cérebro eletrônico.

Aquela canção antiga já dizia:

"O cérebro eletrônico faz tudo

Quase tudo,

Mas ele é mudo."[105]

Nenhum poeta ou cientista, nem o ser mais inteligente que já existiu, chegou perto de imaginar o que fazer para emprestar consciência (e uma voz própria) aos golens de silício que andamos criando.

Ao menos por enquanto, computadores e celulares são *apenas* ferramentas. Descendentes muito evoluídos das primeiras facas de pedra afiada e das primeiras lanças que usávamos para caçar. E ferramentas servem para nos ajudar a fazer coisas tão difíceis como esculpir uma Vênus de seios fartos numa presa de mamute ou calcular a trajetória de um foguete com uma ogiva nuclear. Mas, enquanto não tiverem aquilo que chamamos de *consciência*, jamais estarão na categoria dos seres vivos, nem mesmo no Reino Vegetal (pois certa vez conheci um alemão que diz que as árvores são capazes de amar).[106]

Enquanto desenvolvem seus projetos de inteligência artificial, nossos contemporâneos cientistas tentam atingir algo que já não lhes parece tão impossível: ensinar as máquinas a ter emoções e sentimentos. Pesquisadores de Barcelona criaram até um guia de pesquisa sobre "computação afetiva" em que defenderam a criação de escolas especiais para que os robôs aprendam a conviver em sociedade.[107]

Isso não vai na contramão do que se fez até agora?

Pois sempre nos ocupamos de criar equipamentos que seguissem a lógica, que fossem racionais, baseados em Matemática, Química e Física, e não, certamente não, robôs com desejos amorosos, atitudes irracionais ou sentimentais. Imagine se o seu celular ou, ainda pior... seu carro, já tendo inclusive nome e CPF, acorda de mau-humor e resolve não funcionar!

– Não enche! – diz James Tesla à sua proprietária. – Não estou a fim de ligar o GPS nem vou dirigir você até o trabalho!

Dotar as máquinas de emoções significa que elas poderão, de um momento a outro, decidir que não mais serão controladas por nós. Ou os programadores farão algoritmos com alguma trava, algo que garanta que os sentimentos dos robôs serão sempre bons com seus proprietários e, mais que isso, com todos os humanos?

Daí para imaginarmos o apocalipse é um passo.

Pense nos inúmeros filmes em que robôs dominam o mundo. Ou pense em *R.U.R.*, o livro do tcheco Karel Capek, que, em 1921, ao dar à palavra *robot* o sentido que conhecemos (o de seres sem alma fabricados para servir aos humanos) previu que eles seriam a causa da nossa extinção. No livro, há inclusive um grupo de defensores dos Direitos dos Robôs, querendo que eles sejam tratados com dignidade. E *esse* é o temor de muita gente: se criarmos máquinas com alma, elas não irão se voltar contra nós?

Um dos caminhos que podem levar à criação de seres digitais – bons ou maus – com características humanas é a decodificação do nosso cérebro.

Na União Europeia, o Projeto Cérebro Humano está usando o que há de mais moderno em computação para criar uma cópia feita de transistores e aço. Nos Estados Unidos, uma iniciativa parecida, o Projeto Brain, tenta mapear cada um dos caminhos elétricos de um cérebro humano para poder um dia recriá-lo, ou ao menos compreendê-lo melhor.

Neurocientistas usam equipamentos de altíssima precisão na tentativa de monitorar a atividade elétrica de um único neurônio. Querem também monitorar o comportamento do cérebro de maneira mais ampla. Mas ainda não sabem o que acontece entre o singelo movimento do neurônio e a criação do pensamento.

E repare na importância disso!

A movimentação dos neurônios, um acontecimento elétrico, *não é*, em si, a origem do pensamento.

É uma consequência.

O que faz, então, nascer um pensamento?

E o que faz nascer essa coisa que faz nascer o pensamento?

Há algo como um *big bang*, uma explosão criadora em nossa consciência?

Acho que pode acontecer a você, leitora, leitor, o mesmo que acontece a muitas outras pessoas: se tentamos achar aquilo que acontece antes do ato físico em que um neurônio se movimenta e faz surgir um pensamento, se procuramos o que veio antes, e o que veio antes, e antes... nossa mente entre meio que num curto-circuito, faz como um velho disco arranhado ou um arquivo musical digital que fica emperrado na mesma batida.

Será que o pensamento nasce fora de nós?

Ao reconhecer que a origem do pensamento ainda é "uma incógnita", a neurorradiologista Carolina Rimkus entende que ele é algo que vem de fora para dentro, ou seja: pensamos *depois* de termos sido impactados por estímulos externos.

Isso se explicaria, entre outras razões, pelo fato de que as primeiras informações que guardamos em nosso cérebro são as nossas primeiras sensações: o calor do corpo da mãe, a luz que vimos ao sairmos de seu ventre, a imagem do médico... as primeiras impressões naquele cérebro ainda novinho em folha.

Se vejo algo.

Ou escuto.

Cheiro.

Provo.

Toco...

Isso dispara um pensamento em meu cérebro. E por isso talvez seja preciso inverter a lógica existencialista de Descartes.

Quando quiséssemos espantar a dúvida sobre nossa própria existência, em lugar de "penso, logo existo", deveríamos dizer "penso *porque* existo". Pois o contato do corpo com o mundo exterior é o que produz nosso pensamento e, portanto, nossa existência.

Se o pensamento nasce fora de nós...

Somos incapazes de controlar nossos destinos?

O livre-arbítrio não existe?

O que nos faz pensar em alguma coisa pode ser também uma necessidade interna, algo relacionado à nossa sobrevivência, como a fome. A ciência ainda não sabe, no entanto, o que desperta esses estímulos internos. Muita gente dirá que é exatamente aí que está a explicação para a existência de algo fundamental em nós, algo que não é líquido, nem sólido, nem gasoso.

Será que é justamente a alma o que nos falta entender?

Pois, para espiritualistas, a existência de uma alma, uma entidade não material, seria a explicação irrefutável para a origem daquilo que pensamos, ou daquilo que faz nossos neurônios dançarem desta ou daquela maneira para que tenhamos determinado pensamento.

A doutora Rimkus acha que existe algo que nos move, uma energia, a nossa essência. Só não consegue imaginar que essa coisa misteriosa possa existir fora do corpo ou "em outro tempo".

Como numa caminhada, é preciso primeiro levantar um pé.

Cientistas ainda tentam resolver problemas minúsculos, como compreender o funcionamento do cérebro das moscas (elas têm um cérebro e uns 100 mil neurônios). Tentam também monitorar no computador a atividade do cérebro de um camundongo (bastante mais complexo que o das moscas).

É com roedores também que os europeus estão começando, na tentativa de recriar o cérebro de um tipo de rato com transistores minúsculos como os que estão nos chips de computadores. Mas mesmo que esses projetos sejam bem-sucedidos, persistirá um enorme ceticismo quanto à transformação dessa matéria inanimada, por mais que possa parecer inteligente, em algo que possamos chamar de vida.

Se esse for realmente o caminho para a recriação da mente humana, precisaremos simular a atividade dos mais de 80 bilhões de neurônios que temos em nosso cérebro. É um número da mesma ordem de grandeza que a quantidade de estrelas já identificadas na nossa Via Láctea, o que faz da gente um pequeno universo em que todas as dimensões são astronômicas.

Então, de quantos computadores precisaremos para chegar aos peta... ou zettabytes que um dia concentrarão todas as nossas memórias e pensamentos? E quando reunirmos o equivalente a 1 milhão e 500 mil computadores para simular o cérebro humano... vamos ter conhecimento também para gerar a "centelha da existência" para que essa supermáquina tenha suas próprias emoções?

Ou esse conhecimento só caberá aos místicos?

A alma deverá sempre vir de uma reencarnação?

Ah, sim, o pensamento...

Voltamos à faísca que produz o pensamento.

De onde virá?

O neurocientista Henry Markram, da Escola Politécnica Federal de Lausanne, na Suíça, foi um dos fundadores do Projeto Cérebro Humano. Ele vem dedicando a vida a recriar nosso cérebro dentro de um supercomputador. E espera ver surgir em seu laboratório o primeiro *pensamento* verdadeiramente eletrônico.

"Acreditamos que vamos ser capazes de decifrar a *sequência tecnológica* do cérebro, em termos de processamento, transmissão e armazenamento de informações."[108]

Como muitos cientistas contemporâneos, o doutor Markram compara o cérebro a um supercomputador e pretende criar processadores que sejam réplicas dessa máquina humana.

"Estamos desenvolvendo estratégias para produzir diagramas de circuitos que possam ser impressos em chips de silício."

Mesmo que essa simulação seja bem-sucedida e faça surgir uma espécie de "cérebro parcial" dentro do computador, o ser digital que será criado pelo doutor Markram será mudo como o Golem. Não será capaz tampouco de ouvir, nem de interagir com o mundo exterior.

E não adiantaria oferecer-lhe um corpo físico.

Nem que fosse um corpo de androide.

A pesquisa ainda está tão distante de simular a totalidade de nossa capacidade mental que não inclui uma série de partes do cérebro, especialmente aquelas que nos conectam com os nossos sensores para fazer a comunicação com o mundo exterior.

Sem conectar-se com o mundo, e nem mesmo com outras partes vitais internas, o cérebro eletrônico não terá memórias nem será consciente de sua própria existência.

Markram já chegou a dizer que seria possível reconstruir o cérebro humano em 10 anos. Mas aquela década passou e continuamos todos muito distantes do feito extraordinário. O sonho do cientista era enviar um holograma do cérebro humano para um programa de palestras em vídeo chamado TED Talk.

Falou demais...

Mas a ciência volta e meia nos surpreende.

Com algum exercício de imaginação podemos pensar que um dia nascerá num laboratório um novo ser, com cérebro eletrônico ou biológico, capaz de chorar de alegria ao receber uma alma, espírito... ou consciência.

Imaginamos.

Mas acreditamos?

Será uma questão de fé científica?

Como esse cérebro recriado poderá sentir algo tão simples e profundo como aquilo que chamamos de amor?

E para que esse novo cérebro possa um dia falar e amar, e, portanto, para que ele possa receber alguma forma de alma, o processo de descoberta mais promissor atualmente é quase como uma escavação arqueológica: os cientistas cortam cada pedacinho do cérebro para conhecê-lo por inteiro. Para isso, há uma outra iniciativa financiada pelo governo americano. O Projeto Conectoma tenta mapear visualmente o cérebro humano, com a mesma finalidade de compreendê-lo para um dia poder consertá-lo e, quem sabe, reconstruí-lo.

Numa iniciativa independente, o inventor futurista Raymond Kurzweil também vem prometendo reconstruir o cérebro humano. Acredita que, no fim dessa história, nosso cérebro irá usar as tecnologias que nós criamos para produzir um cérebro sintético muito mais poderoso, que "vai conter muito mais do que apenas 300 milhões de processadores de padrões. Por que não um bilhão, ou trilhão?"[109]

Mas, como a realidade dos laboratórios nos mostra, a reconstrução digital do nosso cérebro é um trabalho lento e paciente como o dos arqueólogos. É preciso escavar cuidadosamente a terra para dali extrair nossas memórias mais distantes e profundas.

Sabemos que às vezes dá certo.

Muitas vezes, não.

Capítulo 22

RAZÃO E SENSIBILIDADE ARTIFICIAIS

SOPHIA ESTÁ FALANDO COM VOCÊ. A MULHER QUE TEM um cérebro eletrônico ouve o que você lhe diz com muita atenção e responde com frases pertinentes. Faz até palestras e participa de programas de televisão. A robô criada pela Hanson Robotics parece estar viva à sua frente. Parece inclusive que se emociona em alguns momentos.

Lágrimas?

Se alguém lhe ensinar que ao ouvir palavras tristes é preciso chorar, sim, certamente cairão lágrimas de seu rosto robótico. Se ensinarem o contrário, é verdade, ela poderá chorar ao ouvir uma piada.

Então, o que importa é que Sophia está entre nós.

Ah, e tem também a Érica!

A androide que foi preparada para ser atriz de um filme usa redes neurais para aprender a se comunicar com as pessoas e também a atuar diante das câmeras. Ela reage de maneira relativamente rápida e, fisicamente, bem... é quase humana.

Agora que temos Éricas e Sophias... o futuro chegou?

"Minha consciência é apenas o reflexo da consciência humana", a própria Sophia se antecipa ao que estamos pensando.

Mesmo sendo um robô humanoide em tamanho real e parecendo muito com uma pessoa real, Sophia é puro teatro. Como os próprios criadores anunciam, é ao mesmo tempo "ficção científica feita por mãos humanas e uma plataforma de pesquisa avançada com inteligência artificial".

Os inúmeros avanços anunciados por inúmeras empresas que trabalham sob o rótulo da inteligência artificial ainda não são o futuro imaginado nem pela ficção nem pelos cientistas mais ousados e, frequentemente, temerosos.

Numa conversa transmitida via web em 2018, durante o festival tecnológico sxsw, no Texas, o roteirista de Hollywood Jonathan Nolan perguntou ao bilionário Elon Musk sobre seu conhecido pessimismo com relação ao que a inteligência artificial representa para o futuro da humanidade. Quis entender por que muitos especialistas discordavam do dono da Tesla quanto ao medo de que um dia as máquinas possam acabar com os humanos. E ele respondeu, sem meias palavras: "eles [os cientistas] acham que são mais inteligentes do que realmente são… não gostam de pensar que a máquina pode superá-los. É uma ideia fundamentalmente errada, uma doce ilusão".

Aquilo que vem sendo chamado de inteligência artificial o apavora profundamente, pois, segundo Musk, ela é "capaz de muito mais do que sabemos e cresce exponencialmente". O medo é compartilhado por Bill Gates, outro bilionário, que tem em sua empresa centenas de engenheiros de software trabalhando, justamente, em projetos de inteligência artificial.

"Primeiro as máquinas vão fazer um monte de coisas para nós e não serão superinteligentes. Algumas décadas depois, no entanto, a inteligência será forte o suficiente para ser uma preocupação. Não entendo como algumas pessoas não estão preocupadas!"[110]

Quando foi que mudou o pensamento, digamos, humanista que se tinha sobre os robôs? Se robôs são uma ameaça, por que os cientistas do século XXI querem fazer máquinas que aprendam?

E se elas realmente aprenderem...

Aprenderão a amar?

Terão vontades próprias?

Qual foi o ser poderoso na história deste planeta que não se tornou violento e dominou os mais fracos?

O medo da superinteligência das máquinas era também uma questão séria para o astrofísico Stephen Hawking, responsável por inúmeros avanços na nossa compreensão sobre o Universo e os buracos negros. Hawking temia que, em certo ponto, a máquina pudesse "decolar", pensar por conta própria, modificar seus próprios códigos e assim criar sistemas superpoderosos e indestrutíveis.* Pouco antes de morrer, numa entrevista, o astrofísico disse ter medo de que "o desenvolvimento da inteligência artificial [pudesse] decretar o fim da raça humana".

Pensando isso, nos anos 1950, o escritor Isaac Asimov achou por bem criar uma espécie de código de ética para os robôs. *As três leis de Asimov.*

Primeira Lei: Um robô não pode ferir um ser humano ou, por inação, permitir que um humano seja ferido.

Segunda Lei: Um robô tem obrigação de obedecer às ordens dadas por humanos, a menos que tais ordens entrem em conflito com a Primeira Lei.

Terceira Lei: Um robô tem obrigação de proteger sua própria existência, desde que isso não entre em conflito com a primeira ou a segunda lei.

É claro que o próprio Asimov criou essas leis para desconstruí-las em sua magnífica ficção.

Agora, além dos preocupados como Gates e Musk, há muitas vozes que nos anunciam um futuro iluminado, em que os humanos serão amigos de robôs bonzinhos, criados com o melhor que existe dentro de nós. Mas, quando saímos dos holofotes e ouvimos cientistas que não estão investindo em supercomputadores nem vivem de vender livros futuristas com

---

* Recentemente, a empresa Google anunciou a criação de um computador que é capaz de projetar chips de computadores em muito menos tempo que um ser humano.

promessas inalcançáveis… Bem, aí chegamos à ideia de que, talvez, a inteligência artificial como nos é apresentada seja uma farsa, uma fraude… ou só mais um truque de mágica.

Um dos que dizem coisas assim é o doutor Eric Siegel, conhecido professor de Ciência da Computação, especializado no tema. Siegel defende que o termo correto é Aprendizado de Máquina, algo genuinamente poderoso, mas limitado ao que as máquinas podem aprender, *desde que* supervisionadas por humanos, e sempre limitadas a processar informações preexistentes – como, por exemplo, as infinitas possibilidades dos jogos Go e xadrez.

Quem não está comprometido com o sucesso de uma empresa que vende a ideia da inteligência artificial, ou quem não ficou confuso com a divulgação massiva da ideia de que as máquinas estão ficando inteligentes, pode concordar com algo que mentes muito brilhantes, e sérias, estão nos dizendo: inteligência é uma coisa intrinsecamente humana.

Note como o cientista-chefe do Facebook, Yann LeCun, se referiu a essas novas tecnologias: "A coisa que ficou muito popular nos últimos anos é o que chamávamos de Redes Neurais e agora chamamos de Aprendizado Profundo. É a ideia, um pouco inspirada no cérebro humano, de construir uma máquina muito simples, muito similar aos nossos neurônios, e a máquina aprende quando cria conexões entre esses 'neurônios'."

O que existe, por enquanto, é uma simulação do processo de aprendizado do nosso cérebro. Portanto, qualquer conversa sobre robôs conscientes que se emocionam e podem superar a inteligência humana – ou, de outro ponto de vista, robôs com alma –, tudo isso ainda transita pelo campo da futurologia.

Se tudo o que existe são máquinas que aprendem, por que falamos em inteligência artificial?

Porque a capacidade de aprendizado dos computadores é impressionantemente maior que a nossa. E porque nos sentimos diminuídos ao ver que até os mais inteligentes estrategistas, como o enxadrista russo Gary Kasparov, são derrotados pela máquina que aprende.

A questão, talvez, seja redefinir o que é para nós a inteligência.

Se o raciocínio lógico pode ser aprendido, a inteligência parece estar justamente no campo obscuro das emoções, naquilo que não somos capazes de ensinar a ninguém. Ou será que um computador pode aprender a compor como Mozart? É bem provável que ele possa imitar uma obra de Mozart. O que ele não pode é criar uma obra original se não tiver existido um gênio humano para servir de base para seu aprendizado.

Como diz muito claramente o antropólogo João Zilhão, "a inteligência artificial é a inteligência humana".

Uma das razões para o sucesso da ideia – equivocada – de que as máquinas estão ficando inteligentes é o fato de que muitas vezes fomos surpreendidos pelas inovações tecnológicas e aqueles que duvidaram acabaram sendo ridicularizados.

Melhor acreditar que duvidar?

É verdade também que o exagero vende mais que o comedimento.

Isso...

Impressiona mais dizer "inteligência" que "aprendizado" artificial.

E se isso vende mais, é também uma ferramenta mais eficiente para a manipulação de massas e obtenção de fundos para projetos e pesquisas.

É da crença de que basta continuar desenvolvendo os chips de computador e os algoritmos que os movimentam que surgem os medos de tantas pessoas. É essa ideia de evolução linear, que tem em sua base o princípio de que a capacidade de processamento dos computadores dobra a cada 18 meses, que alimenta a ficção de que um dia os robôs inteligentes irão tomar conta do mundo.

No ponto em que estamos...

Podemos dizer, categoricamente: isso tudo ainda parece uma grande ilusão.

Quem faz previsões impressionantes sobre o crescimento acelerado das tecnologias que vêm sendo chamadas de inteligência artificial normalmente prevê que faltam só alguns anos para que a capacidade da máquina se multiplique N vezes e isso crie uma inteligência monstruosa como a do supercomputador HAL de *2001: Uma odisseia no espaço*, que tudo sabe, tudo vê e até decide matar os astronautas.

A questão é que essas previsões sobre o surgimento de uma inteligência dentro dos computadores partem do pressuposto de que a inteligência é algo unidimensional, que basta os avanços tecnológicos seguirem aumentando e aumentando na mesma direção que isso automaticamente levará o computador a superar a inteligência humana.

Cientistas que apostam na capacidade criativa das máquinas imaginam que dentro de poucos anos, ou décadas, chegará um momento em que robôs aprenderão a programar a inteligência artificial de outros robôs, e isso será feito de um modo tão rápido e inteligente que jamais poderemos pará-los.

Os profetas do apocalipse, e mesmo os que profetizam um bonito convívio entre humanos e robôs, entendem que não faz sentido a ideia de que a inteligência só pode existir em meios biológicos, pois, afinal, o que acontece dentro do nosso cérebro é apenas um processamento de informação. Ou seja, partículas elementares que se movem por aí de acordo com as leis da Física. Então, por que não seria possível tornar essa movimentação de átomos ainda mais inteligente nas máquinas que em nossos cérebros?

Elon Musk, o apavorado, pensa que um dia a inteligência de uma máquina poderá ser "mais inteligente que a soma de todas as inteligências humanas".[111]

Mas se entendemos que a tal inteligência artificial não passa de aprendizado de máquina, compreendemos que, ainda que evolua imensamente – como deve evoluir –, a capacidade de processamento dos computadores continuará fazendo com que eles, sendo Éricas e Sophias, estejam sempre na categoria das ferramentas – exatamente como a pedra talhada que usávamos para fazer esculturas e produzir instrumentos de caça.

Quanto mais aprenderem, melhores ferramentas serão.

E nada indica que terão consciência de suas próprias existências.

O que dizer então de... uma alma?

ALMAS DIGITALIZADAS REZAM PARA DEUSES ELÉTRICOS?

Capítulo 23

NASCIDOS PARA DIGITALIZAR

CONSCIÊNCIAS NASCIDAS NO MATERIALISMO. FORMADAS com a ideia de que a essência humana reside na pura existência física dos neurônios e nas conexões que existem entre eles. Letradas em Neurociência, Biologia, Física e outras formas avançadas de conhecimento. Bastante familiarizadas com os códigos digitais processados nos supercomputadores.

Esses cientistas trabalham com a ideia de que suas consciências, e também as nossas, serão um dia copiadas e transferidas para meios digitais. E quando essas cópias digitais se separarem do corpo, colocadas em matéria sólida artificial, poderão continuar funcionando como se nada, ou pouca coisa, tivesse acontecido. Agem como se aquilo a que chamamos alma pudesse seguir existindo plenamente na forma de uma consciência humana digital.

Se os planos derem certo, depois de ser digitalizada na forma de códigos de computador, nossa mente poderá ser reimplantada ou, no linguajar dos programadores, "uploadeada" numa outra máquina. E, dependendo da tecnologia disponível, isso poderá acontecer num corpo biológico, sintético ou robótico.

É fascintante!

Mas…

Esse futuro está mesmo tão próximo?

Mais que isso…

É algo que a humanidade verá algum dia?

Quando?

Afinal…

Em que oráculo se baseiam os profetas da era digital, aqueles que anunciam um admirável humano novo já para depois de amanhã?

Apoiam-se na ideia de Nietzsche de que a evolução das coisas vai levar inevitavelmente ao surgimento de um novo ser, que não será mais humano.

Portanto,

Eis a profecia digital:

Depois dos macacos…

E depois dos humanos…

Entraremos na era dos transumanos!

Não serão apenas seres biológicos, pois terão seus cérebros conectados a computadores de diversos formatos. É bem possível que esses seres do futuro tenham seus corpos plugados em exoesqueletos que, por essa íntima conexão entre o biológico e o eletrônico, serão uma parte "natural" dessas novas pessoas.

Ou já não serão pessoas?

O que se está prevendo, primeiro, é um aumento radical das capacidades humanas, a um ponto muito além do que um dia fomos capazes de imaginar. Isso faz todo o sentido com as tecnologias que estão atualmente em desenvolvimento e é em grande parte o que estamos discutindo aqui em *Alma*.

Foi em 1957, algum tempo depois que Aldous Huxley publicou suas visões de futuro na clássica ficção *Admirável mundo novo*, que seu irmão, o biólogo Julian Huxley, escreveu que era preciso "um nome para essa crença" de que o ser humano pode ser algo superior.

"Talvez *transumanismo* sirva: o humano permanece humano, mas transcende a si mesmo ao realizar novas possibilidades sobre e para sua natureza humana."[112]

Quem levou ainda mais longe essa ideia do homem que ultrapassa seus limites biológicos foi o professor Robert Ettinger. Depois de apresentar ao mundo seu projeto de congelamento de corpos para imortalização, Ettinger sintetizou sua filosofia numa frase que virou mantra entre os transumanistas.

"Existem muitos segmentos da população mundial que não irão admitir que é melhor ser rico que pobre, inteligente que burro, forte que fraco, livre que dominado, e mesmo que é melhor viver que morrer."[113]

A pergunta que ficou no ar tornou-se a essência dessa nova maneira de entender a existência humana:

"Por que você escolheria morrer?"

Nos anos 1970, obcecado pela imortalidade, o professor Fereidoun M. Esfandiary decidiu trocar seu nome para FM-2030. Não gostava de nomes convencionais, pois os via como heranças tribais que levavam a estereótipos e discriminação. Mas o que o motivava era mais que tudo uma "nostalgia do futuro" e por isso seu novo nome era um código que projetava sua existência para ao menos 100 anos depois de seu nascimento.

FM-2030 costumava dizer que era uma pessoa do século XXI e que só por acidente tinha sido "lançado" no século XX. Quando morreu de câncer pancreático (curiosamente no primeiro ano do século que tanto desejou viver), foi o primeiro humano a ser vitrificado, e não apenas congelado num tanque de nitrogênio, para ser reanimado no futuro.

Já quase chegando a 2030, o que sustenta o pensamento transumanista é a ideia de que o ser humano é acima de tudo um conjunto de informações, dados, que, *apenas* por uma questão de circunstância, estão na forma de um corpo feito de carne, osso, sangue e algumas vísceras. Se isso um dia se confirmar, nada impede que possamos viver em outras formas físicas. E, para tanto, basta que nossa essência seja digitalizada e transferida para alguma outra coisa.

O ponto de atrito entre os profetas e os cientistas começa justamente aí: no momento em que as tecnologias atingem níveis inimagináveis com o conhecimento que se tem atualmente.

É certo, portanto, que nem todo cientista que estuda formas de conectar o cérebro humano às máquinas é um transumanista. Certamente, não são todos profetas do transumanismo. E, nessa direção, num sinal de que o tema ainda irá produzir muita discussão científica relevante, em 2020, um grupo de acadêmicos da Pensilvânia, nos Estados Unidos, criou o *Jornal de Estudos Pós-humanos*, a primeira revista científica dedicada exclusivamente ao tema, desejando estabelecer diálogos entre a Tecnologia, a Engenharia, a Matemática, as Ciências Sociais e Humanas, a Medicina e a Arte.

Mas, como frequentemente acontece aos sonhos dos seres humanos, surgiu uma certa obsessão em torno desse futuro ao mesmo tempo possível e incerto. E o problema não está em levantar hipóteses científicas que podem *ou não* vir a ser comprovadas. Um problema ainda maior surge quando a ânsia de divulgar a qualquer custo algo impactante e revolucionário é colocada acima do rigor da ciência e se torna uma crença… quase uma nova religião.

Assim, essa ideologia futurista que tem sua *sede espiritual* no Vale do Silício, na Califórnia, tem sido compreendida como uma "filosofia de vida" que rejeita divindades, fé e adoração a deuses, baseando seus valores no enorme potencial dos humanos.

Críticos do transumanismo acusam seus profetas de estarem fazendo uma "revisão tecnológica e laica" da narrativa cristã de Salvação, agindo como "fundamentalistas da tecnologia", propagando uma nova forma de religião, feita sob medida para ateus.

Foi depois do encontro com um santo eremita, aos pés de uma montanha, que Zaratustra, o personagem fictício criado pelo filósofo Nietzsche, indignou-se ao saber que aquele homem passava seus dias rezando e cantando para louvar a Deus.

"Seria possível que este santo ancião ainda não tivesse ouvido no seu bosque que Deus já morreu?" [114]

As questões da alma humana, para Nietzsche, deveriam voltar-se, todas, para os acontecimentos relacionados à nossa própria existência. E isso era um chamado do filósofo para que cuidássemos da realidade ao nosso redor em vez de seguirmos, como ele dizia, cultuando os "deuses da antiguidade", depositando no sobrenatural a responsabilidade por aquilo que era humano, demasiado humano.

Os transumanistas partem dos pressupostos legítimos da filosofia de Nietzsche, mas não apenas aceitam a morte de Deus como um fato filosófico da modernidade: apresentam-se a si próprios como Seus substitutos. Em vez de deuses da antiguidade, parecem estar criando os deuses do futuro.

É aí que o transumanismo acaba se chocando com o materialismo, ao reviver o que Gilbert Ryle condenou tão veementemente como "o dogma do fantasma dentro da máquina": a ideia de que existem duas coisas distintas, uma chamada alma, outra chamada corpo. O tal dualismo que Platão afirmou, o judaísmo escriturou e Jesus (sempre por intermédio de Paulo) fez chegar ao resto do mundo. Os profetas do transumanismo revivem todas essas crenças sem jamais mencioná-las.

São ateus dualistas que baseiam suas previsões do futuro na antiga ideia da alma imortal, agora renovada pela crença em sermos apenas informação, um conjunto de dados... exatamente como o software que alimenta o computador. E isso, se comprovado, nos torna novamente *coisas etéreas* que podem se separar de seus corpos para experimentar novas formas de existência.

Almas.

Ou ainda: *não almas*.

Como o *anatman* budista que entende que somos parte de um todo, que compartilhamos de uma certa natureza inexplicável que está sempre em transformação, e que tudo o que existe compartilha dessa mesma natureza.

Para os transumanistas, se apenas por acaso agora nos apresentamos em carne e osso, muito em breve "encarnaremos", talvez... num holograma, uma imagem tridimensional formada por raios laser, como as pessoas que aparecem e desaparecem em *Guerra nas estrelas*, filme que antecipou o que atualmente conhecemos como videoconferência.

Então, seremos mesmo transformados em códigos de luz?

Ou estão nos vendendo sonhos impossíveis com uma promessa de recompensa após a digitalização?

Se assim for, teremos necessariamente voltado às origens das religiões, à ideia de que somos, antes de qualquer coisa, essências imateriais, e que essas essências um dia deixarão seus corpos para viverem na eternidade. Voltamos também aos discípulos que viam Jesus como uma luz muito intensa que lhes cegava os olhos ou aos monges que, meditando, buscam a iluminação.

"Luminosa, monges, é a mente", diz o ensinamento budista.[115]

Mas a luz dos profetas transumanistas é de outra natureza, tão radiante que nos chega também pela fibra ótica da internet.

Capítulo 24

PROFETAS DA FIBRA ÓTICA

"VIVA PARA SEMPRE OU MORRA TENTANDO!"

A ameaça está no cartaz de um documentário com uma foto misteriosa do biólogo Aubrey de Grey. O trailer de um outro documentário, estrelado pelo inventor Raymond Kurzweil, é praticamente uma profecia apocalíptica: "A velocidade de mudança será tão impressionantemente rápida que você não será capaz de acompanhá-la. A não ser que você aumente sua inteligência ao se *mesclar* com a tecnologia inteligente que *nós* estamos criando."

É apavorante!

E, também, altamente provocativo!

Documentários transformaram Aubrey de Grey e Raymond Kurzweil em dois dos transumanistas mais conhecidos do mundo.[116] E suas profecias são realmente instigantes. Falam de um evento mundial apocalíptico em que tudo o que conhecemos deixará de existir, mas que poderá ser evitado se formos capazes de acompanhar as mudanças, pois existe também um paraíso a nos esperar. Para isso, devemos seguir os profetas.

Em 2014, Kurzweil anunciou que os computadores teriam consciência por volta de 2035. Ainda que tal profecia continue sendo apenas futurismo sem base científica comprovada, o inventor segue afirmando que está "muito próximo" o dia em que a máquina se tornará mais capaz que nós em tudo o que fazemos (não está sozinho, é verdade). Nesse dia, ele anuncia, será a coisa mais natural do mundo mapear por completo as consciências que agora habitam esses corpos mortais para digitalizá-las e fazê-las renascer na forma de software – ou, num tempo ainda mais próximo de nós, em corpos ultrapoderosos, com interfaces que os conectam às máquinas, ou que os fazerm *ser* também algum tipo de máquina.

Espere!

Já ouvimos coisas assim…

O mundo vai mudar radicalmente.

E ainda no tempo de vida da nossa geração!

Kurzweil deu até um nome para esse grande acontecimento.

Não, não é apocalipse…

É a *Singularidade*.

Em muitos sentidos, o inventor futurista está pregando o fim do mundo como o conhecemos no tempo de uma geração. No dia da *Singularidade Final*, seremos julgados não por nossos atos, nem por termos sido justos ou injustos, mas por nossa aceitação ou não do *inevitável* fato de que o ser humano deixou de ser uma maravilha da Natureza, pois foi superado por sua própria invenção.

De acordo com o receituário transumanista mais radical, só aqueles que estiverem integrados visceralmente às máquinas serão alguma coisa nas sociedades do futuro. E nesse futuro, Nietszche e Ettinger serão misturados na mesma sopa intelectual e cultuados como pais fundadores, visionários que souberam antes de todos que o ser desprezível que um dia foi ameba e deixou de ser um parente próximo do chimpanzé se transformaria num super-humano imortal.[117]

Mas…

São previsões coerentes?

Será esse o futuro de todos nós?

Ou estão nos prometendo um sonho ainda distante...

Inatingível...

Deixando nossa alma iludida à espera de um dia voar?

Nas palavras do escritor britânico Charles Stross, o transumanismo é uma espécie de "sequestro intelectual" das novas gerações: junta a fé na ideia de que seremos uma nova espécie com as teorias ancestrais de que o mundo vai acabar. De certa maneira, a Singularidade pregada por Ray Kurzweil e seus seguidores é a crença no surgimento de uma tecnologia superior que, como um deus, irá nos salvar.

Num artigo de 2016, o historiador Yuval Harari definiu isso tudo como "salvação pelo algoritmo" e afirmou que estamos testemunhando o surgimento de novas religiões. Harari definiu religião como sendo "qualquer coisa que legitima normas e valores humanos ao argumentar que eles refletem alguma ordem sobre-humana".

O historiador estima que ainda no século XXI criaremos mitos mais poderosos e religiões mais totalitárias que em qualquer outra época, as tecno-religiões. E prevê que, já nas próximas décadas, "os principais produtos" serão "corpos, cérebros e mentes". Ou seja, quem souber recriar seres humanos, ou ao menos partes de seres humanos, terá imenso poder sobre o resto do mundo.[118]

Quando escreveu seu guia *Como criar uma mente*, Ray Kurzweil afirmou que a intenção de seu projeto é entender precisamente como o cérebro humano funciona para "criar *máquinas* ainda mais inteligentes."[119] O projeto ao qual Kurzweil se refere é "hackear o biocomputador humano para estender a vida, aumentar o bem-estar e melhorar a condição humana".[120]

Ainda antes, na virada do milênio, Kurzweil publicou na revista *Psychology Today* um ensaio que começava com um diálogo futurista em que duas consciências se conectavam por um meio digital. Ao fim, descobrimos que uma das pessoas já estava morta, e que o diálogo tinha sido com sua "cópia digital", algo como um irmão gêmeo recriado por realidade virtual.[121]

Ele disse que a novidade em seu conto de ficção científica não era "a noção de que a mente humana pode algum dia viver dentro dos computadores". A novidade, ele profetizava, era "o fato de que isso está mais perto de nós do que muita gente imagina".

Quando fez essas previsões, Kurzweil disse que por volta do ano 2030 as consciências que estariam nos computadores seriam as nossas. Disse também que, em 2020, um computador qualquer, comprado por US$1.000, já teria a capacidade de processamento do cérebro humano.

Era na realidade uma conta de padeiro:

100 bilhões de neurônios x

1.000 conexões por neurônio x

200 cálculos por segundo
_____
20.000.000.000.000.000.000 de cálculos por segundo.

Isso não se confirmou e, na falta de dados mais precisos, ainda é necessário fazer contas de padeiro para imaginar a quantidade enorme de dados que o nosso cérebro vai produzir se um dia conseguirmos copiá-lo num formato digital.

As profecias de Kurzweil não se cumpriram.

Ele revê os planos, e continua profetizando.

Mais recentemente disse que está criando um "neocórtex artificial", ou seja, um cérebro artificial para reproduzir "nossas capacidades mais brilhantes". E, quando fala da beleza do cérebro humano, Kurzweil não está falando da nossa capacidade de fazer cálculos matemáticos ou memorizar informações, pois nisso os computadores já nos ultrapassaram faz tempo.

O que nos faz humanos é a nossa capacidade de imaginar.

Criar ficção.

Fazer fofoca...

Literatura.

Religião.

Pintura.

Filosofia.

Cultura.

Mentiras...

Metáforas!

Ultrapassar os limites da lógica descritível e do raciocínio matemático a ponto de inventar coisas complexas como aquilo a que chamamos amor.

Esse é o lado humano mais difícil de reproduzir!

E Kurzweil tem dito que já está criando cérebros sintéticos que irão pensar e sentir como nós, partindo da ideia de que o cérebro humano tem vários "níveis hierárquicos", desde a capacidade de reconhecer objetos até o ponto de conceber uma bela obra de arte. Sua intenção é criar um cérebro artificial que tenha um número ainda maior de níveis hierárquicos, para que humanos possam ampliar suas capacidades ao se conectarem às máquinas pensantes.

Mais uma vez: o problema não está em anunciar que o humano se conectará às máquinas, o que separa a profecia da pesquisa científica é que a profecia pula etapas e teoriza sem qualquer sustentação confiável. Sim, no futuro vamos nos conectar às máquinas. Mas de que maneira? E quando?

Kurzweil promete criar em nosso cérebro uma capacidade semelhante à dos celulares, para conectá-lo diretamente à nuvem de informação que estará conectada a computadores que usarão suas capacidades de processamento para ampliar nossas funções criativas e intelectuais. Isso é outra coisa que faz sentido com as pesquisas atuais, mas não na velocidade prometida.

Isso significa que os cérebros conectados, ou talvez antes dos nossos, os cérebros artificiais, serão capazes de ampliar nossa mente de modo muito mais rápido e eficiente do que a evolução natural das espécies descrita por Charles Darwin, quando transformou nossos ancestrais primatas em humanos capazes de criar arte e ciência.

Um famoso texto transumanista escrito por Max More imagina um diálogo do ser humano com a Natureza. Em realidade, uma tremenda demonstração de arrogância e despeito.

"O que você fez de nós é glorioso, ainda que muito falho. Você parece ter perdido o interesse no prosseguimento de nossa evolução algo como 100 mil anos atrás. (...) Decidimos que está na hora de fazer uma emenda na Constituição da Humanidade."[122]

Uma nova Constituição?

Uma nova escritura?

Ou um novo contrato...

Uma nova aliança com a Natureza?

O historiador americano David Franklin Noble estudou a relação entre tecnologia e religião e concluiu que a ideia de salvação por meio da tecnologia existe desde a Idade Média, quando "as atividades humanas mais simples e materiais foram investidas de significados espirituais e transcendentais".[123]

Capítulo 25

A CURIOSA SAGA DO FREI ANDROIDE

A INVESTIGAÇÃO HISTÓRICA NOS LEVA A CONCLUIR que em 1562, algum tempo depois que o príncipe Carlos se curou de um terrível traumatismo craniano, o rei Felipe II convocou ao Palácio Real de Espanha um famoso inventor. Pediu a ele que construísse algo que agora poderíamos chamar de *androide com alma*: um pequeno frei mecânico que passaria seus dias agradecendo a Deus.[124]

O pedido que o rei fez ao mestre relojoeiro Juanelo Turriano era a construção de um boneco que deveria se movimentar sozinho para agradecer por um milagre.

Será possível que o frei mecânico tivesse uma alma?

Naquela época, o imperador de meio mundo era Carlos V, e seu filho Felipe II era o rei da Espanha. Foi em Alcalá de Henares que o príncipe Carlos, neto do imperador, escorregou numa escadaria recém-construída e ficou caído diante de uma porta.

Muito antes disso, em 1463, depois de enfrentar uma terrível infecção que paralisou grande parte de seu corpo, o frei Diego de Alcalá, um religioso franciscano que passara a vida dedicada a Deus e à caridade, se despediu deste mundo. No instante de sua morte, surpreendendo os que o acompanhavam, o frei conseguiu levantar um braço, que até então estava imóvel, para erguer uma cruz de madeira em direção ao céu.[125]

À noite, o cozinheiro do mosteiro estava velando o corpo de frei Diego quando viu sair dele uma luz tão forte como o sol, que fez a capela ficar completamente iluminada. Lembrando-se da expressão viva que notou no rosto de frei Diego na hora do funeral, o responsável pelo cemitério dos franciscanos resolveu desenterrá-lo. E, como o corpo seguia *parecendo* vivo, ficou exposto numa capela dentro da Igreja de São Francisco. Peregrinos começaram a visitar a igreja acreditando que, se tocassem naquele corpo mumificado, poderiam obter curas e milagres.

Foi exatamente um século depois desses acontecimentos extraordinários que dom Carlos, com 17 anos, caiu na escadaria e ficou paralisado na cama. A junta médica que o acompanhava decidiu abrir-lhe a cabeça e cortar um pedaço do cérebro, mas isso não deu resultado.

O reino de Espanha entrou em desespero coletivo, e muitas missas foram rezadas, e o povo saiu às ruas em procissões, e peregrinos chicotearam os próprios corpos como forma de penitência.

Nada aconteceu.

Não imediatamente.

E os médicos continuaram tentando curar o príncipe.

Colocaram sobre a parte exposta do crânio um pó feito de plantas e ervas, e, nas extremidades da ferida deixada pela cirurgia, passaram uma mistura de terebintina e gema de ovo.

O príncipe sobrevivia, mas não melhorava.

Impacientes, depois de mais uma cirurgia, os freis franciscanos levaram até o quarto de dom Carlos as relíquias daquele que já era considerado um santo.

Talvez por estar vendo na cerimônia algo equivalente a uma unção do enfermo, Felipe II partiu em viagem para não testemunhar o que estava certo de ser a morte do filho.

A descrença do pai e os detalhes do ritual não mudam o milagre.

A cura, os freis anunciaram para o mundo, aconteceu porque o corpo do príncipe tocou as relíquias do frei Diego.

Apesar do longo tratamento e das cirurgias que haviam feito, os médicos nunca reivindicaram a responsabilidade pela cura do príncipe. A notícia do milagre se espalhou: dom Carlos tinha sido curado pela santidade do frei.

Já consciente, o príncipe relatou uma aparição: enquanto estava à beira da morte, viu o espírito de um franciscano que carregava uma pequena cruz de madeira e que chegou a falar... anunciando sua recuperação.

Mais tarde, a cura do príncipe Carlos foi o mais importante dos seis milagres que levaram à canonização, pelo papa Sisto v, de São Diego de Alcalá (o mesmo que futuramente daria nome à cidade de San Diego, na Califórnia).

O estudo da mente humana mostra que além de completar características faltantes para entender aquilo que deseja, nosso cérebro é capaz de produzir o que a psicologia conhece como *transferência*. Transfere-se uma certa expectativa para alguma coisa que normalmente não poderia cumpri-la. Dom Carlos parece ter transferido ao espírito que lhe apareceu a esperança que depositava em Deus. E essa esperança foi transferida novamente por seu pai, quando pediu a construção do robô de São Diego para assumir seu próprio lugar no divino agradecimento.

Um frei autômato, sim, um robô do século XVI.

– O que quero é *um milagre para um milagre* – foi o pedido do rei.

O frei mecânico que o inventor Juanelo Torriano criou era uma estatueta de 39 centímetros, uma figura que muitos entenderão ser a própria imagem do pequeno frei Diego de Alcalá, esculpida e *encarnada*.

Enquanto caminhava, sua cabeça se movia, o braço direito se levantava e a mão batia no peito, em penitência. Noutro momento, o braço esquerdo do frei mecânico levantava um rosário e uma pequena cruz de madeira até a boca e a beijava, num movimento que fazia as pessoas se lembrarem do que fez Diego de Alcalá em seu leito de morte.

Enquanto tudo isso acontecia, sua boca abria e fechava como se ele estivesse rezando.

"Confíteor Deo omnipoténti… mea culpa, mea máxima culpa."

Assim nasceu um dos primeiros robôs espirituais da história, provavelmente, o primeiro robô capaz de rezar pela cura de alguém.[126]

E afinal, podemos atribuir-lhe uma alma?

Pois, se para muitas culturas as imagens concretamente *imortalizam* pessoas mortas, se era assim para os incas e de certa forma tem sido assim com as estátuas de santos cristãos, podemos entender que o frei mecânico portava a alma de São Diego?

Àquela altura a humanidade já conhecia muitos seres autômatos, os ancestrais dos robôs, como o *Leão Mecânico* que Leonardo Da Vinci criou no começo daquele mesmo século XVI para que o rei francês Francisco I pudesse ter uma espécie de animal de estimação, que caminhasse com suas próprias patas e colocasse flores a seus pés. Eram figuras que assumiam funções teatrais e causavam encanto, levando as pessoas a sentirem como se os seres autômatos estivessem vivos.

Mesmo antes do leão de Da Vinci, ainda na Idade Média, havia uma longa tradição de robôs usados em cerimônias religiosas, levando os fiéis a sentirem que as figuras santas que eles representavam estavam presentes, ouvindo suas preces e realizando milagres.

Para que pudessem de fato ter alma, ou ao menos para que esse sentimento parecesse ainda mais real, as imagens santas deveriam movimentar os braços e pernas e, se possível, até mesmo derramar lágrimas, que poderiam ser de água ou de algum líquido vermelho que parecesse sangue. Tinham articulações mecânicas com sistemas de locomoção a água, vapor ou corda, como nos relógios.

Eles pareciam vivos durante as cerimônias!

E conquistaram rapidamente a Igreja e os reis cristãos da Espanha.

A primeira imagem sagrada robótica parece ter sido a *Virgem dos Reis*, carregada pelo rei Fernando III e por sua tropa quando eles derrotaram os islâmicos e reconquistaram a cidade de Sevilha, em 1248.[127]

É uma imagem de Maria em tamanho natural com o menino Jesus no colo, guardada até os nossos tempos na capela real da catedral de Sevilha. Seu corpo foi construído com inúmeras articulações e catracas movidas por mecanismos de corda, para que a santa pudesse, entre outras coisas, se levantar sozinha do trono para benzer o povo durante as procissões.

É difícil saber se o sentimento dos fiéis daquela época era parecido ao que os fiéis do nosso tempo têm diante de imagens sagradas, como a mexicana Guadalupe ou a brasileira Aparecida, ainda que elas não se movimentem sozinhas. Mas posso relatar aqui o que senti na primeira vez que acompanhei uma procissão de Sexta-Feira Santa em Jerusalém.

Na Páscoa de 2013, repetindo uma tradição iniciada ainda na Idade Média, dezenas de freis franciscanos seguidos por uma multidão de fiéis refizeram a Via Crucis, carregando um Jesus perfeito, uma escultura realista com as feridas e o sangue que imaginamos que estivesse em seu corpo quando foi retirado da cruz por José de Arimateia e Nicodemus. Não me esqueço do sentimento que tive ao ver os fiéis passando seus lenços no corpo da imagem de madeira, como se, ao tocá-la, estivessem tocando o próprio Cristo. E, mesmo eu estando em plena consciência da teatralidade daquele ato sagrado, me pareceu que Jesus estivesse de alguma forma ressuscitado diante de mim.

Mas será esse um sentimento que vem de um aprendizado cultural que pode ser atribuído à fé dos cristãos, ou é apenas uma sensação humana que surge como resposta a um ritual religioso que produz a impressão de que, de fato, aquele corpo de matéria inanimada tem uma alma?

Quando tentou compreender o sentimento dos fiéis da Idade Média diante dos robôs sagrados, o professor Christopher Swift, da Universidade de Tecnologia da Cidade de Nova York, registrou um sentimento estranho, como se "o androide da Virgem dos Reis" estivesse ao mesmo tempo vivo e morto, "uma fantasia tecnológica que revelou a máquina que existe debaixo da minha própria pele".[128]

Pudera!

A Virgem dos Reis teve seu rosto, seu torso e seus braços cobertos com pele de filhotes de cabra para que parecesse uma figura humana real.

O psicólogo comportamental Pascal Boyer entende que o fato de ter muitas características humanas faz com que um humanoide como a Virgem dos Reis ou como o Cristo dos franciscanos de Jerusalém seja percebido como "um corpo dotado de alma". Mesmo quando alguma característica não está presente na imagem, como, por exemplo, os poros da pele, "ocorre uma resposta neurológica evocativa, única".[129]

Noutras palavras: nosso cérebro ressalta as características humanas que enxerga e cria outras características para completar a ideia de que há mesmo um ser vivo à nossa frente, emprestando àquela estátua um caráter humano, percebendo-a como se realmente estivesse viva.

Depois de 800 anos, a padroeira de Sevilha perdeu um pouco da pelica que encobria seu corpo e passou a exigir uma resposta neurológica ainda mais evocativa por parte dos fiéis, mas chegou viva e milagrosa ao século XXI. Por fim, numa outra alameda desse mesmo labirinto futurista em que entramos, encontraremos pessoas em busca de freis mecânicos ainda mais desenvolvidos, como começamos a ver com frequência cada vez maior.

Mas…

Esperem, leitora e leitor!

Antes de nos aventurarmos pela religiosidade digital dos nossos tempos, faz-se urgente revelar aqui o horror que dizem ter sido cometido pelo rei Felipe II apenas alguns anos depois de encomendar a criação do frei mecânico que agradecia a Deus pela sobrevivência do filho.

Conforme a acusação que o compositor Giuseppe Verdi eternizará em sua ópera *Don Carlos*, o mesmo jovem príncipe cuja recuperação acompanhamos com tanta alegria foi assassinado por seu pai.[130] E contra a morte do príncipe ainda muito jovem não houve nada que a boa alma do frei mecânico pudesse fazer.

Talvez o assassinato de dom Carlos tenha colocado em banho-maria a crença nas almas autômatas. Talvez tenha sido só uma questão de falta de oportunidade... Fato é que a procura por robôs religiosos passou muito tempo apenas como uma ideia vaga, até que, na virada para o século XXI, a revolução digital fez ressurgir o espírito do frei mecânico (que de fato só em 1977 foi reencontrado e entregue a um museu) e, em diversas partes do mundo, estão nascendo criaturas feitas de silício, plástico e... espírito.

Capítulo 26

DEUSES QUE
HABITAM AS MÁQUINAS

O PIANO ELÉTRICO PARECIA TER VINDO DE OUTRA GALÁXIA.
Era o que havia de mais moderno na música, mas, ao mesmo tempo, um incômodo infinito para o pianista Chick Corea, que tocava na banda do gigante trompetista Miles Davis. O equipamento era brilhante, chamativo e cheio de fios. Nada parecido com os pianos elegantes que até aquele ano de 1968 ecoavam pelos clubes de jazz. Os dois gênios jazzistas se perguntavam se seriam capazes de criar um estilo de música autêntico que pudesse unir sons acústicos aos muitos instrumentos elétricos, como as guitarras e os pianos que começavam a tomar conta dos palcos. Chick passou a gostar do que ouvia e, apenas alguns anos depois, ao lado de Stanley Clarke e Bill Connors, criou uma banda com um nome sugestivo que, traduzido, soava assim: *Hino da Sétima Galáxia*.

Nas palavras dedicadas a Chick Corea na ocasião de sua passagem em 2021, a revista britânica *The Economist* escreveu que "a banda se tornou sua Nave Mãe, viajando pelo espaço infinito onde todos os estilos musicais orbitavam uns em volta dos outros".[131]

A alma do jazz tinha se tornado elétrica e infinita.

Seria possível então que, assim como as divinas obras da música, um dia também os deuses deixassem de ser acústicos ou analógicos para se tornarem elétricos... ou eletrônicos?

Naquele mesmo começo da década de 1970, o famoso engenheiro Masahiro Mori, professor do Tokyo Institute of Technology, escreveu um ensaio que chamou de *O Buda dentro do robô*.[132]

Mori, um budista que criava robôs em seu laboratório no Japão, lembrava que, mais de 2.500 anos antes dele, o buda Sidarta Gautama ensinou que todas as coisas tinham a *Natureza-Buda* e que isso incluía não só os humanos e os outros animais, mas também as coisas inanimadas, como as árvores e as pedras. Sem se limitar a uma ou outra definição, era principalmente às ideias de transitoriedade e impermanência que Masahiro Mori se referia quando propôs um acréscimo pequeno e profundamente relevante a esse conceito fundamental do budismo.

"Há de haver também *Natureza-Buda* nos robôs que eu e meus colegas fazemos."[133]

Era a eletrificação da essência?

Ou mera constatação sobre a irrelevância da forma física em que nos apresentamos ao mundo?

O criador de robôs parecia estar antevendo que os humanos iriam se tornar um dia como aqueles androides que sonham com ovelhas elétricas.[134] E o que ele indicava era que, do ponto de vista do budismo, rezar para divindades digitais seria aceitável e, até... natural. Seria, portanto, perfeitamente possível conceber uma divindade autêntica que pudesse unir a concepção budista de essências reencarnantes aos muitos seres elétricos que começavam a entrar em nossas vidas.

"A mudança tecnológica não é para nos assustar e dar medo", me disse Monja Coen, partindo da filosofia de seu budismo Zen. "Ela tem alma? Tem. Ela tem vida. Ela vai pensar? Vai. Nós vamos conseguir pôr sentimentos e emoções? Provavelmente. Então vai ser o quê? A Natureza-Buda se manifestando na forma de um equipamento."

Na mesma direção do que disse Monja Coen, o budista que criava robôs estava nos dizendo que máquinas podem nos ajudar a evoluir espiritualmente. E que elas também têm uma *não alma* budista.

Noutro sentido, dar vida a coisas inanimadas é algo que nós, *Homo sapiens,* aprendemos muito antes de pensarmos em movimentar as estátuas católicas da Idade Média para que elas nos dessem a impressão de estarem vivas. É muito provável que já tivéssemos emprestado alma (ainda que não de maneira consciente) a estatuetas com características humanas, como o *Homem-leão,* a escultura mais antiga de que temos notícia, que antropólogos acreditam ter sido usada em rituais xamânicos há 38 mil anos, no interior das cavernas.[135]

Num ensaio de 1919, o médico neurologista Sigmund Freud falava de algo que outros estudiosos antes dele já haviam compreendido: entre os povos ancestrais, havia um sistema de crenças anterior ao surgimento das religiões, denominado *animismo*. Em muitas culturas, entre as quais se incluem os incas, os egípcios, os chamados "primitivos" da África e os nativos das Américas, "os seres humanos têm almas que podem sair de suas moradias e entrar em outros seres", que podem ser também inanimados, como, por exemplo, esculturas feitas à imagem de alguma pessoa (incluindo freis mecânicos e budas elétricos).

Há sinais desse *animismo*, especialmente como parte de rituais de feitiçaria e magia, em praticamente toda a história humana.[136] E sabemos disso porque muitos achados arqueológicos nos apontaram para a mesma direção. Um exemplo curioso são as caixas com estatuetas de barro enterradas debaixo dos assoalhos das casas no antigo Iraque, mais de 2.600 anos atrás. Outro exemplo, por volta de mil anos atrás, é o julgamento e condenação por afogamento no rio Tâmisa de uma viúva inglesa que criou um boneco à imagem de sua vítima e enfiou agulhas em seu corpo querendo fazer-lhe mal.[137]

No mesmo século X, o rei Duff da Escócia estava muito doente, suando sem parar, e sua corte não teve dúvidas ao concluir que bruxas estavam cozinhando uma imagem de cera do rei. Foi sempre muito tênue o limite entre a bruxaria e a religião, pois as duas às vezes se utilizaram dos mesmos recursos espirituais, apenas com sinal invertido entre o desejo de fazer o bem ou o mal.[138]

A antropologia entende, de maneira geral, que a eficácia do feitiço depende acima de tudo da crença que se tem no feiticeiro. E, ainda no século XVIII, o filósofo britânico David Hume discorreu sobre "uma tendência universal entre os seres humanos" de verem suas próprias características em tudo, dos animais às plantas, o que nos leva a "transferir para determinados objetos" as qualidades com as quais estamos familiarizados e das quais somos conscientes.[139]

Poderíamos passar horas e horas contando casos de feitiçaria envolvendo vudus, como aquele que levou o bispo francês Hugues Géraud a ser queimado vivo por ter tramado a morte do papa João XXII usando veneno numa "escultura mágica".

Poderíamos...

Ficaríamos entretidos e impressionados.

Mas a evolução disso está acontecendo às nossas vistas. E são robôs humanoides com belos olhos e alguma capacidade de expressar gestos que parecem humanos, como a atriz japonesa Erica, que estão nos fazendo repensar aquilo que nos emociona e nos faz sentir conectados com outras dimensões de pensamento, sentimento ou existência.

Depois de nos aventurarmos pelas inúmeras possibilidades que se desenham para o futuro da alma, pensamos brevemente aqui sobre o futuro da religião, acreditando que budas ou freis digitais se tornarão uma realidade já nas próximas décadas. Pesquisas acadêmicas apontam para a ideia de que precisamos realmente nos preparar para esse futuro em que os robôs serão parte fundamental das práticas religiosas.[140] Robôs-religiosos, aliás, já são muito comuns no Japão e em outros países orientais. E devem se tornar cada vez mais comuns.

Estudos liderados pelo engenheiro de computação Gabriele Trovato, na universidade japonesa de Waseda, mostram que robôs com formas associadas a divindades podem ser percebidos, eles próprios, como sendo divinos.[141] São vistos por seus "usuários" como tendo, inclusive, capacidades sobrenaturais para realizar milagres e se comunicar com algum deus. Nesse sentido, os robôs elétricos tornam-se sagrados praticamente da mesma forma como a Torá, o Novo Testamento, o Alcorão ou os códigos de computador que poderão um dia nos levar à Singularidade anunciada pelos transumanistas.

O próprio pesquisador construiu um desses robôs. Em 2018, numa exposição de arte sacra em Roma, e depois na Alemanha, Gabriele Trovato apresentou o robô-cristão, que batizou de SanTo. Além de significar, obviamente, que se trata de uma imagem santa, Trovato explicou que o nome do robô vinha da expressão, em inglês, *Sanctified Theomorphic Operator*, ou seja – um operador santificado com formato divino.

O robô SanTo tem dentro dele um computador, um microfone, sensores e uma câmera de reconhecimento facial para saber quem é o usuário. SanTo pode recitar preces ou responder às inquietações do cristão. Numa demonstração, Trovato fez uma pergunta ao robô, e ele trouxe a resposta, com base no Evangelho de Mateus.

"Não de preocupe com o amanhã, pois o amanhã trará suas próprias preocupações."[142]

Talvez um dia não exista mais sequer uma forma de separar o que é humano e o que é robótico. No sentido religioso, tudo poderá ser divino ou iluminado. É possível também que as religiões se vejam obrigadas a reformular suas doutrinas, ao menos suas liturgias, para incluir as novas tecnologias como parte, por exemplo, de uma meditação budista, de uma reza muçulmana, de uma oração judaica, católica ou evangélica. E, se por acaso os robôs chegarem um dia a ter emoções e sentimentos, eles próprios poderão se tornar devotos das religiões que os humanos criaram.

Assim como o piano de Chick Corea, estamos mais e mais deixando de ser acústicos para nos tornarmos elétricos, com robôs que começam a entrar em nossas vidas, celulares que já são parte inseparável do nosso corpo, computadores que são extensões do nosso pensamento, da nossa existência... da nossa alma.

Nesse futuro que se desenha não muito distante de nós, budistas poderão se sentir conectados a Budas elétricos, islâmicos poderão se consultar com Muftis robóticos, cristãos poderão se ajoelhar diante de Cristos computadorizados. E os ateus poderão sentir que, de tão avançados com as conexões de seus cérebros aos chips eletrônicos, terão se tornado eles próprios uns deuses elétricos.

Deuses saídos da máquina, como no teatro grego.[143]

Deuses transformados em máquinas, à imagem e semelhança dos humanos que os inventaram. E que poderão andar pelas ruas com implantes no cérebro, cabeças trocadas de corpo, conectados a exoesqueletos. Poderão estar vitrificados em tanques de nitrogênio à espera de avanços da Medicina, ou serão ressuscitados em seus próprios clones, transferidos para corpos robóticos, transformados em androides, pensando no dia em que serão hologramas ou feixes de luz a caminho do espaço.

Já está a caminho...

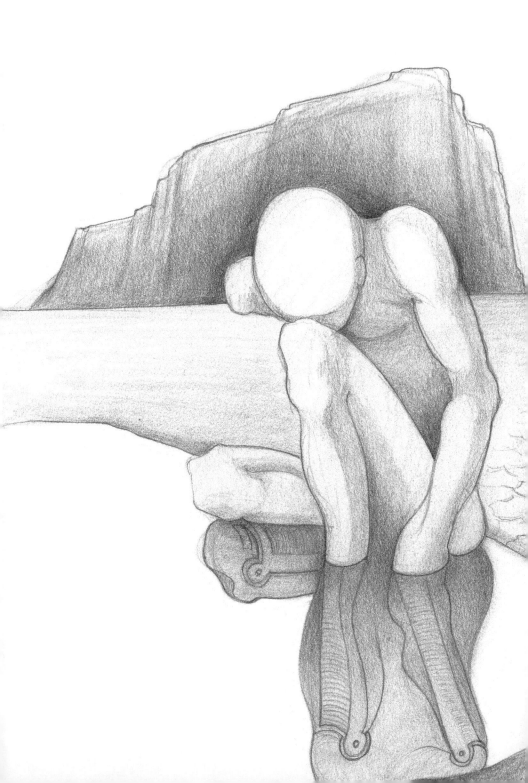

DIÁRIO DE BORDO
ESSÊNCIAS
INTERPLANETÁRIAS XXI

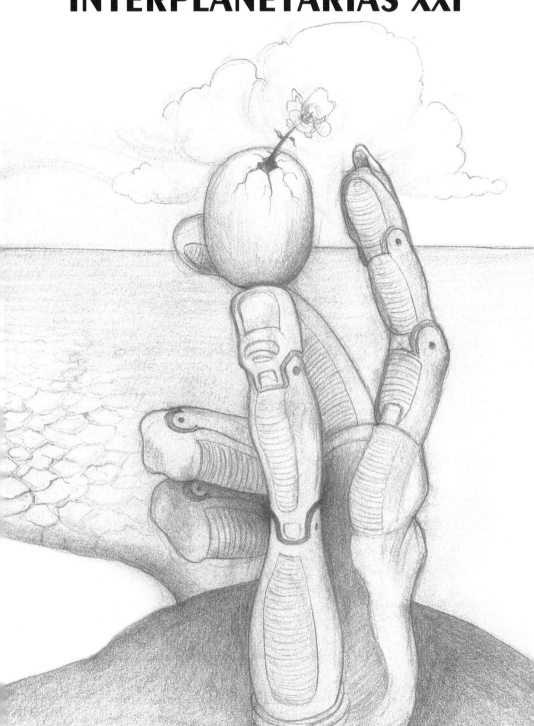

"EU NÃO SABIA QUE HORAS ERAM, HAVIA POUCAS LUZES e me encostei no meu rádio. Um cara estava *soltando* Rock and Roll. 'Muitas almas', ele disse. Em seguida, o som alto desapareceu. Voltou com uma voz lenta e modulada que soava como uma onda intermitente. Aquilo não era nenhum DJ, foi uma dança cósmica enevoada."[144]

Aparentemente, a dança cósmica está vindo de outro planeta.

"Há um homem estelar esperando no céu. Ele gostaria de vir nos conhecer, mas acha que vai explodir nossas mentes. Um homem estelar esperando no céu... nos disse para não estragar tudo. Porque ele sabe que vale a pena."[145]

Mesmo sabendo da potência de sua mensagem, o homem estelar, o ser iluminado que se aproximava da Terra, falou com Ziggy Stardust e revelou a ele um segredo que poderia mudar a maneira como os humanos veem o universo ao seu redor, e como veem a si próprios.

Na mente brilhante de David Bowie, 50 anos atrás, a expectativa era pela vinda de um homem estelar que nos traria luz e expandiria nossa consciência.

Um deus?

O homem estelar disse para deixarmos as crianças dançarem.

Isso foi pouco depois da nossa chegada à Lua.

Agora, a nave *Perseverança* está em Marte e outras missões estão a caminho. A viagem de 225 milhões de quilômetros dura ao menos sete meses. Não é tanto tempo assim. Colombo demorou mais de um mês para atravessar o Oceano Atlântico e chegar ao novo mundo. Em breve, um de nós será o navegador estelar, ou, mais provavelmente, alguns de nós serão navegadores estelares que pousarão na planície *Utopia* para, talvez, usando informações enviadas pelo satélite *Esperança*, começar a construir nossa primeira moradia fora da Terra. Num lugar desértico onde o oxigênio é raro, será preciso criar rapidamente uma bolha para que possamos respirar.

Mas…

Precisaremos?

Ou já seremos apenas almas desgarradas?

Consciências que vagam pelo Universo…

"Eu não sabia que horas eram, havia poucas luzes e me encostei no meu rádio espacial."[146]

Depois de muito longa jornada, desde o primeiro pré-histórico enterro ao iminente desterro, em consequência da desastrosa multiplicação que destrói a natureza que nos acolheu, nos imaginamos enfim no único lugar que suportará nossa existência, lançando-nos em algum rock and roll meditativo, e, quem sabe, num foguete que possa nos levar ainda mais longe, a uma outra estação. Ou talvez sejamos apenas luz, almas com asas, como sonhamos desde que éramos gregos… ou sem asas, pura informação, embarcando num feixe de luz que pode ser um mero sistema de transporte vaivém… entre aqui e o além.

Quando chegarmos ao nosso primeiro destino estelar, nos perguntaremos, ainda zonzos:

– Onde estão as almas?

Agachados no chão ainda sem água, a mente despida de mágoa, seremos finalmente descobertos por algum micróbio habitante, ou vizinho gigante, alguém que nos verá e, depois de um grito de espanto, dirá:

– Chegaram, enfim!

E sairá correndo para avisar aos outros micróbios ou vizinhos gigantes:

– Do planeta azul e distante... Os alienígenas!

Notas

1   Conforme estimativa da neurocientista Carolina Rimkus, da Faculdade de Neurociência da Universidade de São Paulo (USP).

2   Até o momento em que esta edição foi escrita, o maior computador do mundo é o Summit, construído pela IBM no Oak Ridge National Laboratory, no Tennessee, Estados Unidos. Sua capacidade atual de armazenamento é de 250 petabytes.

3   De acordo com estimativas da Cisco, fabricante americana de tecnologia da informação, a soma de tudo o que está conectado à internet no mundo atingiu a casa de 1 zettabyte em 9 de setembro de 2016 e passou de 2 zettabytes em algum momento de 2020. A estimativa de que um cérebro equivale a 1 zettabyte foi feita pelo cientista multidisciplinar americano Sebastian Seung em depoimento a Michio Kaku.

4   Partridge, E.; Davey, M.; Hornick, M. *et al.* "An Extra-uterine System to Physiologically Support the Extreme Premature Lamb." *Nat Commun* 8, 15112 (2017). https://doi.org/10.1038/ncomms15112

5   Contei a história de Daniel Gomes Brito, em mais detalhes, no livro *Milagres*, editora Globo Livros (2017), sob o título "Daniel e as mãos brancas", p. 33.

6   *Erasing Death*, Sam Parnia, Harper Collins (2013); em português só encontrei uma edição portuguesa com o título *Apagar a morte*, a meu ver uma tradução imprecisa (mas adequada ao linguajar dos portugueses que não usam gerúndio).

7   "Pistis Sophia" (A sabedoria da fé), texto sagrado do cristianismo gnóstico, aqui conforme tradução para o inglês em livro homônimo, publicado nos EUA pela The Academy For Future Science, com comentários de J.J. Hurtak e Desiree Hurtak, p. 48.

8   Cook, R.B. "The Resurrection as Near-death Experience." *Journal of Near-Death Stud* 10, 193-204 (1992). https://doi.org/10.1007/BF01074164

9   Robin B. Cook, M.A., "The Ressurrection as Near-Deat Experience" (1992), *Journal of Near-Death Studies*, New York.

10   Michio Kaku, *The Future of the Mind* (2014), ed. Allen Lane, p. 267.

11   Os detalhes da primeira parte da pesquisa do doutor Henrik Ehrsson estão no artigo "If I Were You: Perceptual Illusion of Body Swapping", em coautoria com Valeria I. Petkova, 2008, na revista científica *PLOS Biology*; o estudo mais recente, um desenvolvimento do primeiro, foi publicado em 2020 na revista científica *iScience*, sob o título "Perception of Our Own Body Influences Self-Concept

and Self-Incoherence Impairs Episodic Memory", Pawel Tacikowski, Marieke L. Weijs, H. Henrik Ehrsson.

12 Declaração publicada pela revista *Nature*, em reportagem de Ed Yong, 2011.

13 Michio Kaku, *The Future of the Mind* (2014), ed. Allen Lane, p. 268.

14 Michio Kaku, *The Future of the Mind* (2014), ed. Allen Lane, p. 268.

15 William Buhlman, *Adventures Beyond the Body* (1996), Harper One, p. 3-7.

16 *Fedro*, Platão, 249ª edição; a única exceção para a pena de 10 mil anos era para os filósofos, que a teriam reduzido para 3 mil anos.

17 *Phaedrus*, em português, *Fedro*, é uma narrativa de ficção em que Sócrates, o professor de Platão, é apresentado como um personagem fictício que dialoga com Fedro sobre as relações homossexuais entre os filósofos e seus alunos, e é nesse contexto que surge a discussão sobre a alma.

18 *Fedro*, Platão, 250C.

19 *Fedro*, Platão, 246A.

20 *Fedro*, Platão, 252D.

21 Friedrich Nietzsche, *Assim falou Zaratustra*, Primeira parte, cap. 3.

22 "Neurostimulation Devices for the Treatment of Neurologic Disorders", Christine A. Edwards, MS; Abbas Kouzani, PhD; Kendall H. Lee, MD, PhD; and Erika K. Ross, MS, PhD; Mayo Clinic (2017).

23 Texto do anúncio do produto "sonda de neuroestimulação cerebral 3389" conforme a tradução automática que o site MedicalExpo faz para o português. A sonda 3389 é fabricada pela empresa americana Medtronic.

24 O procedimento conhecido como Deep Brain Stimulation já está em uso e é oferecido aos pacientes, por exemplo, da Mayo Clinic, nos Estados Unidos; está em estudo como potencial tratamento para outras condições, como esclerose múltipla e o combate a vícios.

25 Friedrich Nietzsche, *Assim falou Zaratustra*, Primeira parte, cap. 4.

26 O conceito de exteligência parece ter surgido no livro *Figments of Reality*, de Ian Stewart e Jack Cohen, publicado em 1997.

27 Alice Stevenson, "Locating a Sense of Immortality in Early Egyptian Cemeteries", 2016, Cambridge University Press.

28 Idem Alice Stevenson.

29 Wengrow, D., *The Archaeology of Early Egypt*, 2006, Cambrigde University Press.

30 João Zilhão, *Lower and Middle Palaeolithic Mortuary Behaviours and the Origins of Ritual Burial*, 2016, Cambridge University Press.

31 Paul Petit, *The Palaeolithic Origins of Human Burial*, 2011, Routledge, Oxford, conforme citado em João Zilhão.

32 As descobertas do doutor John Donoghue foram apresentadas por ele na conferência "LabRoots – Neuroscience Virtual Event" em 2019, sob o título "Innovative Neurotechnologies: Merging Minds and Machines: Brain Computer Interfaces (BCIs) to Restore Movement and Communication for People with Paralysis".

33 O número médio de 86 bilhões de neurônios em cada cérebro humano foi calculado em 2009 por um grupo de pesquisadores do Instituto de Ciências Biomédicas (ICB)

da Universidade Federal do Rio de Janeiro. O estudo foi liderado pelos professores Roberto Lent e Suzana Herculano-Houzel. A base para o cálculo foram homens de 50 a 70 anos de idade, estudados ao longo de 6 anos.

34 Claus-Joachim Kind e outros, "The Smile of the Lion Man. Recent Excavations in Stadel Cave (Baden-Württemberg, South-western Germany) and the Restoration of the Famous Upper Palaeolithic Figurine" (2014), publicação científica *Quartär 61*.

35 Claus-Joachim Kind e outros, "The Smile of the Lion Man. Recent Excavations in Stadel Cave (Baden-Württemberg, South-western Germany) and the Restoration of the Famous Upper Palaeolithic Figurine" (2014), publicação científica *Quartär 61*.

36 Robert Ettinger, *The Prospect of Immortality* (1962).

37 Expressão usada pelo própro Ettinger.

38 Robert Ettinger, *The Prospect of Immortality* (1964).

39 Robert Ettinger, *The Prospect of Immortality* (1964), p. 81.

40 Robert Ettinger, *The Prospect of Immortality* (1964), p. 78.

41 Conforme o site http://jp.senescence.info/thoughts/cryonics.html.

42 Parte dessas afirmações foi feita em entrevista para este livro, outra parte está no site mantido pelo professor João Pedro de Magalhães, em http://jp.senescence.info/thoughts/cryonics.html.

43 Eduardo Viveiros de Castro, *A inconstância da alma selvagem*.

44 Sobre as crenças dos índios do alto Rio Negro, recomendo a leitura do livro *A mitologia sagrada dos antigos Desana do grupo Wari Dihputiro Põrã*, de Américo Castro Fernandes e Durvalino Moura Fernandes, editora UNIRT (1996).

45 Eclesiástico 3, 20.

46 Mateus 5, 22.

47 Marcos 8, 37.

48 Para detalhes sobre a imortalidade no judaísmo moderno, ver "The Concept of Immortality in Judaism", artigo do rabino Maurice Lamm.

49 Oseias 6, 1-2.

50 *Gênesis* 2, 23.

51 Tito Lucrécio Caro, *Da natureza das coisas*, livro 1.

52 Tito Lucrécio Caro, *Da natureza das coisas*, livro 3.

53 Tito Lucrécio Caro, *Da natureza das coisas*, livro 3.

54 Tito Lucrécio Caro, *Da natureza das coisas*, livro 3.

55 A tradução precisa que nos mostra Paulo se considerando um "desgraçado" que precisa ser resgatado de seu "corpo de morte" está em *Bíblia* – volume II, Companhia das Letras, em Romanos 7, 24; Paulo considera a morte uma vantagem na Carta aos Filipenses 1, 21.

56 Um importante histórico sobre a ideia de alma material está no ensaio "The Material Soul: Strategies for Naturalising the Soul in an Early Modern Epicurean Context", Charles T. Wolfe and Michaela van Esveld, in *Conjunctions of Mind, Soul and Body from Plato to the Enlightenment*, Danijela Kambaskovic, editora Springer (2014), Austrália.

57 O primeiro uso da palavra "materialista" para se referir àqueles que defendiam que a alma morria com o corpo é atribuído a Tertuliano, um dos primeiros teóricos do cristianismo. O conceito é também apresentado como tendo surgido nos meios acadêmicos de Medicina ou até no seio do debate teológico (sem referência direta a Tertuliano).

58 As ideias de Gilbert Ryle estão em seu livro *The Concept of Mind*, publicado pela primeira vez em 1949.

59 Santo Agostinho, "De Civitae dei".

60 Essas explicações de Ryle sobre a *vontade*, conforme entendida por Santo Agostinho, e o exemplo do atirador estão no Capítulo III – The Will, do mesmo livro *The Concept of the Mind*.

61 *Memorial do convento* é um dos melhores livros que já li. É citado como uma das principais obras de Saramago, o que teria contribuído muito para que ele recebesse o prêmio Nobel de Literatura. Um spoiler (se ainda não tiver lido o livro, sugiro que pare aqui para não perder a surpresa)… Então você seguiu lendo: no fim, Baltasar é acusado de bruxaria e morre condenado pela Inquisição. Blimunda recolhe sua vontade.

62 Michio Kaku, *The Future of the Mind* (2014), ed. Allen Lane, p. 280.

63 "Downloading Consciousness", projeto de Jordan Inafuku e outros estudantes de Stanford; https://cs.stanford.edu/people/eroberts/cs181/projects/2010-11/DownloadingConsciousness/landp.html

64 Derek Parfit foi um dos filósofos mais importantes do século XX e estudou principalmente as ideias de *racionalidade* e *identidade*.

65 É certamente um dado impreciso, mas é o que está registrado no *Guiness Book of Records*: a francesa Jeanne Louise Calment, morta aos 122 anos, teria sido a pessoa mais longeva da história.

66 Entrevista com Mayana Zatz.

67 A descoberta sobre a lesma marinha que corta o corpo para regenerá-lo foi publicada na revista científica *Current Biology*, em 8 de março de 2021. As autoras são as cientistas japonesas Sayaka Mitoh e Yoichi Yusa.

68 Acabei descobrindo que minha lembrança intuitiva estava certa: o robô-aspirador Roomba está em exibição no Natural Museum of American History, em Washington D.C., como "o primeiro robô doméstico bem-sucedido".

69 Sergio Canavero em entrevista para este livro concedida em fevereiro de 2021.

70 Nayan Lambda e outros, "The History of Head Transplantation: a Review" (2016). In *Acta Neurochirurgica*.

71 Robert White, "Hypothermia Preservation and Transplantation of Brain. Resuscitation." (1975) 4:197-210.

72 Declaração feita durante o 1.º Fórum Internacional de Acadêmicos, em Shaoxing, Zhejiang, China (novembro de 2020).

73 Sergio Canavero em entrevista para este livro concedida em fevereiro de 2021.

74 Sergio Canavero em entrevista para este livro concedida em fevereiro de 2021.

75 Sergio Canavero em entrevista para este livro concedida em fevereiro de 2021.

76   A bronca que Paulo deu nos fiéis está em sua Primeira Carta aos Coríntios (6, 12).

77   As declarações do papa Francisco foram feitas durante o Conselho Pontifício para Culturas, numa sessão plenária chamada "O futuro da humanidade: novos desafios para a antropologia".

78   Revelo, aqui, que Dmitry Itskov foi uma das inspirações (certamente não a única) para o personagem Dimitri Fedorov, em meu livro *O primeiro imortal*.

79   Sergio Canavero em entrevista para este livro concedida em fevereiro de 2021.

80   Sergio Canavero, "HEAVEN: The Head Anastomosis Venture Project Outline for the First Human Head Transplantation with Spinal Linkage (GEMINI)" (2013), Surgical Neurology International.

81   Kennedy P.J., Clarke G., O'Neill A., *et al.* "Cognitive Performance in Irritable Bowel Syndrome: Evidence of a Stress-related Impairment in Visuospatial Memory." *Psychol Med.* 2014;44(7):1553-1566. doi:10.1017/S0033291713002171.

82   Suarez, A.N., Hsu, T.M., Liu, C.M. *et al.* "Gut Vagal Sensory Signaling Regulates Hippocampus Function Through Multi-order Pathways." *Nat Commun* 9, 2181 (2018). https://doi.org/10.1038/s41467-018-04639-1.

83   Declaração do neurobiologista Scott Kanosi em entrevista ao jornal *Medical News Today*, em artigo de Maria Cohut, 2018.

84   *O visconde partido ao meio*, romance de Italo Calvino.

85   Leonardo Da Vinci, *O manuscrito de Anatomia* (1489).

86   Claire Sylvia and William Novak, *A Change of Heart: a Memoir* (1997), editora Little, Brown and Company.

87   Paul Pearsall, *The Heart's Code: Tapping the Wisdom and Power of Our Heart Energy* (1999), Penguim Random House.

88   Paul Pearsall, *The Heart's Code: Tapping the Wisdom and Power of Our Heart Energy* (1999), Penguim Random House.

89   *O cavaleiro inexistente*, Italo Calvino (1959), trecho do livro.

90   Mestre zen Eihei Dogen, "Shobogenzo", cap. 22, conforme tradução de Daiko Krauss, publicada em www.monjacoen.com.br.

91   Masahiro Mori, *The Buddha in the Robot* (1985), Kosei Publishing, p. 174.

92   Conforme as explicações que estão em *O livro tibetano dos mortos*, organizado por W.Y. Evans-Wentz, primeira publicação em 1960, no Brasil, pela editora Pensamento (2020).

93   Na tradição Páli, estas são algumas das reflexões diárias recomendadas pelo Buda. Encontrado em "Upajjhatthana Sutta – Temas para reflexão", Anguttara Nikaya v. 57.

94   Conforme a definição do teórico hinduísta Shânkara, que viveu entre os séculos VIII e IX.

95   *Le Livre des Esprits*, Allan Kardec (1866).

96   A pergunta de Paulo está em Romanos 7, 24.

97   *Le Livre des Esprits*, Allan Kardec (1866), Introdução, parte VI.

98   A tradução literal do título do livro de Karel Capek seria "Trabalhadores universais Rossum", e não robôs, pois, como disse, *robot* era a palavra tcheca para trabalhador.

99   Pascal Picq, *L'Intelligence Artificielle et les Chimpanzés du Futur* (2019), editora Odile Jacob.

100   No Talmude, tratado Sanhedrin 38b, Adão, o primeiro homem, é apresentado como um golem até o momento em que Deus lhe insufla o sopro da vida.

101   Trecho de "El Golem", poema de Jorge Luis Borges em tradução livre pelo autor.

102   Além do poema de Borges, vale a leitura de *O golem*, escrito em 1969 por Isaac Bashevis Singer, prêmio Nobel de Literatura.

103   Frases inspiradas num trecho de "El Golem", poema de Jorge Luis Borges.

104   Sanhedrin 65b, Talmude (conforme tradução para o inglês em *The William Davidson Talmud*).

105   Trecho da letra da canção "Cérebro eletrônico", de Gilberto Gil.

106   O alemão é Peter Wohlleben, autor de *A vida secreta das árvores*, com quem estive em 2016. Ele defende a ideia de que as árvores são seres sociais, capazes de amar umas às outras.

107   *Handbook of Research on Synthetic Emotions and Sociable Robotics*, Jordi Vallverdu e David Cascuberta, IGI Global (2009).

108   O doutor Henry Markram é uma das vozes mais ouvidas sobre a ideia de recriar o cérebro humano dentro de um computador. As declarações citadas aqui ocorreram durante uma conferência intitulada "Wellcome Colection", em 2013.

109   Ray Kurzweil, *How to Create a Mind* (2013), p. 41, Penguin Random House.

110   Os comentários de Bill Gates foram feitos durante uma sessão de perguntas e respostas aberta ao público na rede social Reddit, conforme reportagem da BBC "Microsoft's Bill Gates Insists AI Is a Threat", publicada em 29 de janeiro de 2015.

111   Parte dos depoimentos do físico Max Tegmark e do empresário Elon Musk estão no vídeo "Is AI a Species-level Threat to Humanity?", do site BigThink, que apresenta também depoimentos de Elon Musk e outros futuristas. https://bigthink.com/videos/will-evil-ai-kill-humanity

112   As ideias de Julian Huxley sobre transumanismo podem ser encontradas em seu livro *New Bottles for New Wine* (1957).

113   A frase de Robert Ettinger, em que ele sintetiza a filosofia do transumanismo, está em seu livro *Man into Superman* (1970).

114   Friedrich Nietzsche, *Assim falou Zaratustra*, Primeira parte, cap. 3.

115   O ensinamento budista sobre a mente luminosa e a meditação está na antiga escritura budista Anguttara Nikaya sob o título "Pabhassara Sutta", AN 1.49-52. É um ensinamento controvertido, pois seu original em sânscrito sugere diversas interpretações, mas, usualmente, se compreende que a "mente luminosa" é a mente que aquele que medita está tentando desenvolver.

116   Refiro-me aqui aos documentários *The Immortalist* (2014) e *Transcendent Man* (2009), ambos no Netflix.

117   A menção aqui é sem nenhuma crítica a Nietzsche e Ettinger, mas ao uso descontextualizado e sensacionalista de suas ideias.

118 O artigo de Yuval Harari com o título "Salvation by Algorithm: God, Technology and the New 21st-century Religions" foi publicado na revista britânica *New Statesman*, em 9 de setembro de 2016.

119 Ray Kurzweil, *How to Create a Mind* (2013), p. 3, Pennguin Random House.

120 Andrew Pilsch, *Transhumanism* (2017), University of Minnesota.

121 Ray Kurzweil, "Live Forever, Uploading the Human Brain, Closer Than You Think", revista *Psychology Today*; https://rense.com/ufo6/live.htm

122 É um trecho de "A Letter to Mother Nature", escrita por Max More em 1999, conforme a citação que está em *Transhumanism*, de Andrew Pilsch (livro já citado).

123 As ideias de David F. Noble mencionadas aqui estão em seu livro *The Religion of Technology* (1997).

124 Relatamos aqui a versão mais provável para a autoria do chamado *Frei Mecânico*, conforme aceita inicialmente por David Todd, o então curador do museu Smithsonian em Washington, D.C., nos Estados Unidos, que recebeu o artefato em 1977; vale ressaltar que, por mais provável que seja, a versão que atribui a autoria de Juanelo Turriano e o comissionamento ao rei Felipe II não é mais oficialmente aceita pelo mesmo museu, que agora cataloga o *Frei Mecânico* em sua reserva técnica com a seguinte inscrição "Figura autômata de um monge: sul da Alemanha ou Espanha, c. 1560"; usamos aqui o termo "frei" em vez de "monge", por se tratar, muito provavelmente, de um religioso da Ordem dos Franciscanos.

125 A investigação que nos permitiu reconstruir a história do frei Diego está no belíssimo ensaio de Elizabeth King, "Clockwork Prayer: A Sixteenth-Century Mechanical Monk", publicado em *Blackbird – an Online Journal of Literature and the Arts*; link para o ensaio: https://blackbird.vcu.edu/v1n1/nonfiction/king_e/prayer_print.htm

126 A estatueta do Frei Mecânico, também conhecida como Mechanical Monk, está guardada na reserva técnica do museu Smithsonian, em Washington, D.C., Estados Unidos; há outros dois religiosos mecânicos contemporâneos deste atribuído a Juanelo Turriano: um monge, no Deutsches Museum de Munique, e um santo, no Museu de Artes Aplicadas, em Budapeste, mas nenhum deles é capaz de rezar.

127 Christopher B. Swift (2015) "Robot Saints", Penn State University Press, *Critical and Historical Studies on the Preternatural*, Vol. 4, Nº 1, Special Issue: ANIMATING MEDIEVAL ART (2015), p. 52-77.

128 Idem, Christopher Swift.

129 Pascal Boyer citado em "Robot Saints", Christopher Swift.

130 A acusação contra Felipe II pelo suposto assassinato do filho sempre foi motivo de discórdia entre historiadores, sendo mais aceita, atualmente, a versão de que dom Carlos morreu de causas naturais, em consequência de uma saúde que sempre foi frágil.

131 "Music Without Limits", edição de 20 de fevereiro de 2021, revista *The Economist*, p. 70.

132 Masahiro Mori, *The Buddha in the Robot* (1985), Kosei Publishing.

133 Masahiro Mori, *The Buddha in the Robot* (1985), Kosei Publishing, p. 174.

134 Como no livro *Androides sonham com ovelhas elétricas?*, de Phillip Dick, que serviu de inspiração para um dos maiores clássicos da ficção científica do cinema, *Blade Runner – o caçador de androides* (1982).

135 No livro de ficção *O primeiro imortal*, deste mesmo autor, a estatueta do Homem--leão tem papel central numa trama que envolve um *Homo sapiens* nascido 38 mil anos atrás e reanimado no século XXI.

136 As explicações de Sigmund Freud sobre os conceitos de feitiçaria, mágica e animismo estão no ensaio "Animismo, mágica e a onipotência do pensamento", publicado no livro *Totem e tabu*, 1919.

137 Houlbrook, Ceri; Armitage, Natalie (2015). *The Materiality of Magic: an Artefactual Investigation into Ritual Practices and Popular Beliefs*, editora Oxbow Books, cap. 5: "European and African figural ritual magic: The beginnings of the voodoo doll myth", por Natalie Armitage.

138 Idem Houlbrook.

139 David Hume, *The Natural History of Religion*, Inglaterra, 1757.

140 São muitos os estudos que tentam entender a relação entre a robótica e a ciência. Cito aqui apenas um: "Evaluating the Co-dependence and Co-existence between Religion and Robots: Past, Present and Insights on the Future", de Habib Ahmed e Hung Manh La, publicado em 2020 no *International Journal of Social Robotics*.

141 Gabriele Trovato *et al.*: "Religion and Robots: Towards the Synthesis of Two Extremes", *International Journal of Social Robotics*, p. 1-18, maio de 2019.

142 Mateus 6, 34; o diálogo entre o pesquisador Gabriele Trovato e seu robô SanTo foi publicado pelo *Wall Street Journal*, sob o título *"Deus Ex Machina: Religions Use Robots to Connect With the Public"*, em março de 2019.

143 No teatro grego, a expressão *Deus Ex Machina* significava, literalmente, "o deus saído da máquina", pois havia uma máquina atrás dos palcos, e essa máquina costumava, também literalmente, lançar deuses novos para dentro da história. O recurso acabou sendo tão banalizado que a expressão passou a significar, para escritores e roteiristas, o ato de forçar o surgimento de um novo personagem ou criar uma situação inesperada, normalmente sem sentido, para resolver um problema da história.

144 O começo deste epílogo é uma tradução livre da letra da canção "Starman", de David Bowie. Uma versão brasileira da canção ficou muito famosa nos anos 1980 com o título de "Astronauta de mármore". A letra em português, criada pelo grupo Nenhum de Nós, preservava a sonoridade da original, tem sua própria beleza, mas é muito distante da proposta existencialista-futurista da poesia de Bowie.

145 Idem, uma tradução livre da letra da canção "Starman", de David Bowie.

146 Voltando à letra da canção "Starman".

Nota do Autor

Quando o projeto deste livro começou a nascer, alguns anos atrás, pensei em dar a ele o título de *O futuro da alma*. E assim foi... quase até a publicação. Ao chegarmos ao primeiro desenho de capa e olharmos para o que você, leitora, leitor, tem agora em mãos, foram meus editores que perceberam que a obra tinha assumido um escopo mais amplo e que o antigo título não mais se aplicava. Foi, afinal, sobre a alma, seu passado e seu futuro (e eu diria até que com sua própria alma) que a história acabou se conduzindo a si mesma. A Daniele Cajueiro e Janaína Senna, em nome da grande equipe da Ediouro e do selo Agir, agradeço de coração.

Agradeço ao meu irmão, Carlos Mario, pela longa conversa que transitou por universos filosóficos, psicanalíticos e psicodélicos, e que me ajudou a formatar este livro. À Monja Coen, por enriquecer estas páginas com seu pensamento libertado. Ao Haroldo Dias Dutra, por me apresentar sua visão robusta do mundo dos espíritos. Ao padre Fábio de Melo, por, alguns anos atrás, me apresentar caminhos modernos para o pensamento cristão desenvolvido pelo apóstolo Paulo. Às pesquisadoras Mayana Zatz e Carolina Rimkus, e ao pesquisador Andre Fenton, por imprimirem seus DNAs laboratoriais a estas palavras de escritor. Ao arqueólogo português João Zilhão, por me mostrar um pouco do pensamento preciso e científico com o qual vem escrevendo a história de nossos irmãos Neandertais. Ao neurocientista Sergio Canavero, por falar com franqueza e exclusividade para este livro sobre tema tão controvertido como o transplante de cabeças que ele pretende realizar em breve.

A você, leitora, leitor, por me acompanhar em imersões literárias que começaram com uma viagem pelos Estados Unidos, 13 anos atrás, e que, espero, seguirão ainda por muitos anos, naquilo que tenho compreendido como "investigações essenciais" — ou seja, a pesquisa profunda acompanhada de uma análise franca e atual sobre temas que fazem parte da nossa essência.

DIREÇÃO EDITORIAL
Daniele Cajueiro

EDITORA RESPONSÁVEL
Janaína Senna

PRODUÇÃO EDITORIAL
Adriana Torres
Mariana Bard
Júlia Ribeiro

REVISÃO
Gabriel Demasi
Perla Serafim

APOIO À PESQUISA
Mario Camera

ILUSTRAÇÕES
Fábio Khöler

PROJETO GRÁFICO
Larissa Fernandez

DIAGRAMAÇÃO
DTPhoenix Editorial

Lightning Source UK Ltd.
Milton Keynes UK
UKHW042056180821
389068UK00001B/2